Das Strickbuch
für Einsteiger

Ute Hammond

Das Strickbuch für Einsteiger

Mit System zum Erfolg

Nur rechte Maschen –
mit zwei Nadeln gestrickt

Ein Pullover als Verwandlungskünstler

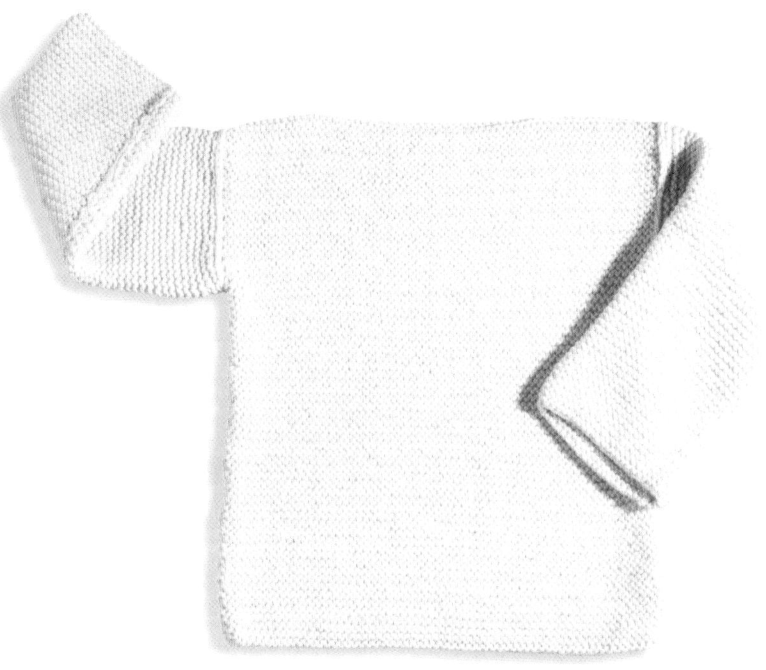

Nach diesem „Rezept" können
Sie viele verschiedene Pullover,
Jacken und Westen für Mann,
Frau und Kind stricken. Das
Strickmuster bleibt dabei immer
das gleiche – gestrickt werden
nur rechte Maschen.
Verändern können Sie das
Modell wie folgt:
Stricken Sie z. B. statt des U-
Boot-Ausschnittes einen vier-
eckigen Halsausschnitt
(siehe Zeichnung Seite 10),
statt des langen Pullovers einen
kurzen, statt der langen Ärmel
dreiviertellange oder kurze,
statt des Pullovers einen ärmel-
losen Pullunder.
Verwenden Sie glatte Wolle,
haarige Wolle oder Baumwolle –
der Eindruck wird jeweils ein
völlig anderer sein. Auch unter-
schiedliche Farben verändern
die Wirkung. Ob einfarbig, ge-
streift oder geringelt – Ihrer

Fantasie sind keine Grenzen ge-
setzt!
Ich gebe Ihnen für die verschie-
denen Größen und Modelle
immer die Maschenzahl an. Da
jedoch jede Hand den Faden
anders führt und spannt, wird
ein Strickstück, das mit der gleichen Wolle und den gleichen

Nadeln gestrickt wird, beim einen lockerer und beim anderen
fester. Deshalb ist es sinnvoll,
eine Maschenprobe (siehe „Maschenprobe", unten Seite 21 f.)
zu stricken.

■ Größe
Small/Medium/Large

■ Material

1100/1150/1200 g Wolle für Nadelstärke 8 (z. B. Modern Art, Farbe: Natur Nr. 02, von Schachenmayr); 1 Paar Stricknadeln Stärke 8; 1 Sticknadel ohne Spitze zum Vernähen der Fäden und zum Zusammennähen

■ Vorderteil

Schlagen Sie für die Größe Small (36–38) 64 Maschen, die Größe Medium (40–42) 68 Maschen, die Größe Large (44–46) 72 Maschen an (siehe „Maschen anschlagen", unten Seite 8 ff.). Nun können Sie es sich gemütlich machen und eine rechte Masche (siehe „Rechte Maschen stricken", unten Seite 12 f.) nach der anderen stricken. Am Anfang und Ende der Reihe stricken Sie eine Randmasche (siehe „Die Randmasche", unten Seite 16). Wenn ein Knäuel dem Ende zugeht und Sie einen neuen Faden einstricken müssen, beachten Sie bitte die Erläuterungen „Neuen Faden

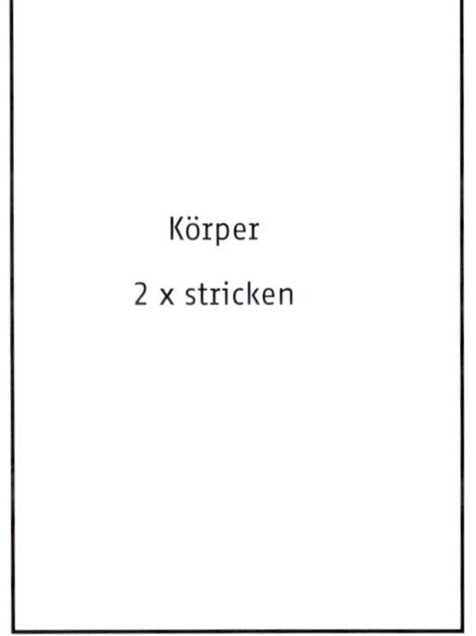

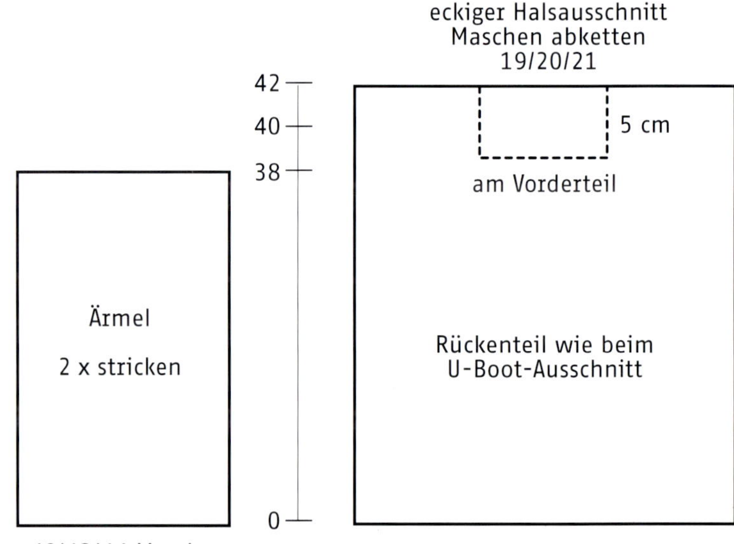

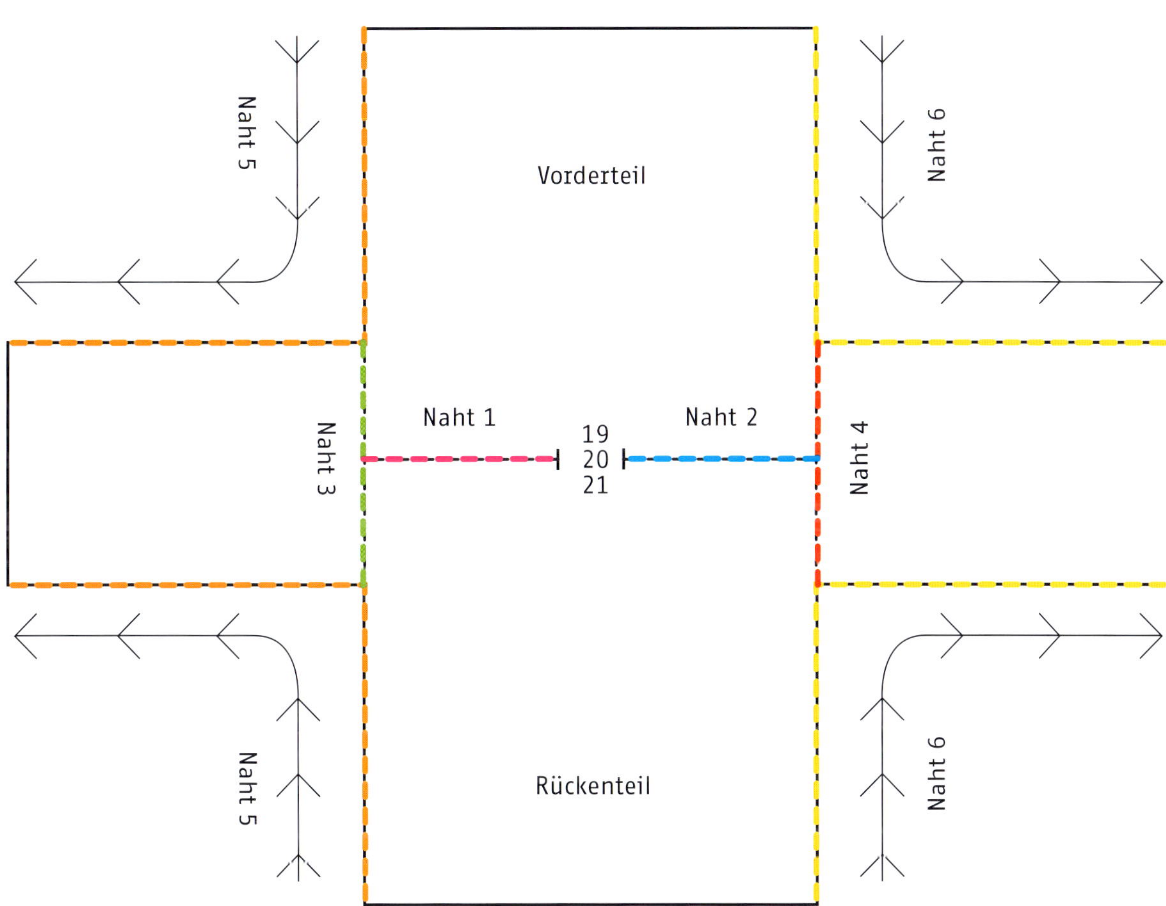

Naht 5
Naht 6
Vorderteil
Naht 1
Naht 2
Naht 3
Naht 4
19
20
21
Naht 5
Naht 6
Rückenteil

einstricken" im unteren Teil auf Seite 23.

Ich habe Ihnen in der Schnittzeichnung (siehe Seite 10) nur eine Länge angegeben. Nun sind wir ja alle bekanntlich nicht gleich groß; manche lieben lange Pullover, andere mögen's lieber kürzer. Stricken Sie einfach so lange, bis Ihr Pullover für Sie die richtige Länge hat! Dann ketten Sie alle Maschen ab (siehe „Abketten", unten Seite 18 f.).

■ Rückenteil

Das Rückenteil stricken Sie genauso wie das Vorderteil. Die Länge sollte exakt die gleiche sein. Messen Sie also genau nach. Damit Sie ganz sicher sein können, dass die Teile gleich lang sind, sollten Sie die Reihen zählen (siehe „Reihen zählen", unten Seite 24).

■ Ärmel

Schlagen Sie 40/42/44 Maschen an und stricken Sie 38/40/42 cm gerade hoch.
Ketten Sie alle Maschen ab. Den 2. Ärmel stricken Sie genauso. Das Zählen der Reihen garantiert Ihnen, dass beide Ärmel gleich lang sind!

■ Fertigstellung

Vernähen Sie die Fäden von Vorder-, Rückenteil und Ärmeln (siehe „Fäden vernähen", unten Seite 43). Beim Zusammennähen der Teile hilft die Zeichnung auf Seite 11: Schließen Sie zuerst die beiden Schulternähte (Naht 1 und 2) im Matratzenstich (siehe „Der Matratzenstich", unten Seite 46). Lassen Sie in der Mitte für den Halsausschnitt 19/20/21 cm offen. Legen Sie die 4 Teile vor sich auf den Tisch. Nähen Sie die beiden Ärmel an den Sei-

ten rechts und links an Vorder- und Rückenteil an. (Naht 3 und 4). Legen Sie Ihren Pullover links auf links zur Hälfte. Jetzt nähen Sie die Naht 5 und danach die Naht 6. Ihr Pullover ist fertig und Sie können sehr stolz auf Ihr Werk sein!

Stirnband

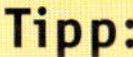 **Kopfumfang**

52–56 cm

Material

50 g Wolle für Nadelstärke 8
(z. B. Modern Art, Farbe: Camel
Mix Nr. 04, von Schachenmayr);
1 Paar Stricknadeln Stärke 8;
1 dicke Sticknadel ohne Spitze
zum Zusammennähen und Vernähen der Fäden

Tipp:
Wenn Sie den Endfaden et-
was länger lassen, können
Sie das Stirnband mit diesem
Faden zusammennähen und
ersparen sich einmal das Vernähen.

Schlagen Sie 60 Maschen an
(siehe „Maschen anschlagen",
unten Seite 8 ff.).
Stricken Sie nur rechte Maschen
in Hin- und Rückreihen (siehe
„Rechte Maschen stricken", unten Seite 12 f.), bis Sie eine
Höhe von 8 cm erreicht haben.
Dann ketten Sie alle 60 Maschen
ab (siehe „Abketten", unten
Seite 18 f.).

Nähen Sie das Stirnband an
den Schmalseiten zusammen
(siehe „Das Zusammennähen",
unten Seite 44 ff.) und vernähen
Sie Anfangs- und Endfaden
(siehe „Fäden vernähen", unten
Seite 43).
Fertig ist das einfachste aller
Stirnbänder!

Mütze

■ **Kopfumfang** 52–56 cm

■ **Material**

100–150 g Wolle (je nachdem, ob Sie die Mütze ohne oder mit Umschlag stricken wollen) für die Nadelstärke 8 (z. B. Modern Art, Farbe: Camel Duo Nr. 05, von Schachenmayr); 1 Paar Stricknadeln Stärke 8; 1 Sticknadel ohne Spitze zum Zusammennähen und Vernähen der Fäden

Schlagen Sie 60 Maschen an (siehe „Maschen anschlagen", unten Seite 8 ff.).
Für eine einfache, glatte Mütze stricken Sie nur rechte Maschen in Hin- und Rückreihen, bis Sie eine Höhe von 19 cm erreicht haben (siehe „Rechte Maschen stricken", unten Seite 12 f.).
Möchten Sie eine Mütze stricken, die einen Umschlag hat (wenn es kalt ist, kann man diesen Umschlag gut über die Ohren

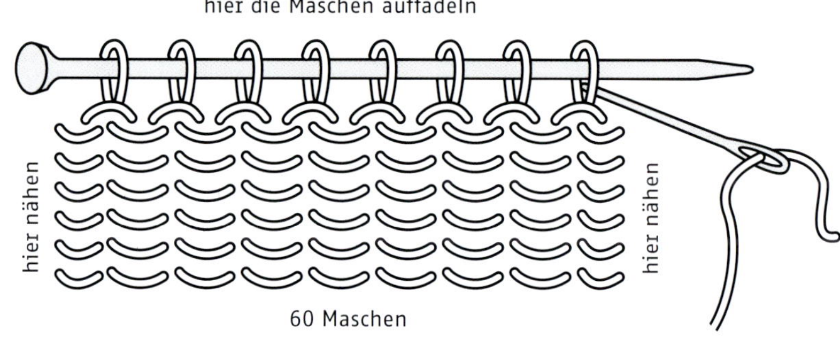

ziehen), dann stricken Sie, bis Sie eine Höhe von ca. 27 cm erreicht haben.
Wenn Ihre Mütze die richtige Größe hat, schneiden Sie den Faden ca. 40 cm lang ab. Mit der Sticknadel fädeln Sie die Ma-

schen von der Stricknadel auf diesen Faden (siehe Zeichnung). Wenn Sie am Ende der Reihe angekommen sind, ziehen Sie den Faden fest an. Die Mütze ist jetzt oben eingekraust und geschlossen. Nähen Sie die Mütze am Hinterkopf mit dem gleichen Faden zusammen (siehe „Das Zusammennähen", unten Seite 44 ff.). Anschließend Fäden vernähen (siehe unten Seite 43). Sie können diese einfache Mütze z. B. mit Pompons, Applikationen oder einer hübschen Brosche zu einem echten „Schmuckstück" machen.

Armstulpen

Früher hießen sie Pulswärmer, waren mit sehr dünner Wolle gestrickt, viel kleiner und bei weitem nicht so dekorativ. Heute reichen sie bis zum Ellbogen oder Oberarm, sind meist aus dicker Wolle, einfarbig oder mehrfarbig und oft in der Farbe eines dazugehörigen Pullovers gestrickt. Sie wärmen nicht nur den Puls, sondern auch die Arme. Diese Stulpen können auch zu einem Halbhandschuh werden, wenn Sie sie so lang stricken, dass sie auch den Handrücken bedecken. Beim Zusammennähen lassen Sie an einer Stelle für den Daumen einen kleinen Schlitz offen (siehe Zeichnung).

Material

200 g Wolle für die Nadelstärke 7 (z. B. Modern Art, Farbe: Camel Duo Nr. 05, von Schachenmayr); 1 Paar Stricknadeln Stärke 7; 1 Sticknadel ohne Spitze zum Zusammennähen und Vernähen der Fäden

Schlagen Sie 30 Maschen an (siehe „Maschen anschlagen", unten Seite 8 ff.). Stricken Sie nur rechte Maschen (siehe „Rechte Maschen stricken", unten Seite 12 f.). Stricken Sie die Stulpen in der gewünschten Länge – bis zum Ellbogen oder fast bis zur Schulter. Danach ketten Sie alle 30 Maschen ab (siehe „Abketten", unten Seite 18 f.).
Nähen Sie das Strickstück im Matratzenstich (siehe „Der Matratzenstich", unten Seite 46) an der langen Seite zu und vernähen Sie die Fäden (siehe „Fäden vernähen", unten Seite 43). Ihre erste Stulpe ist fertig! Arbeiten Sie die zweite Stulpe genauso.

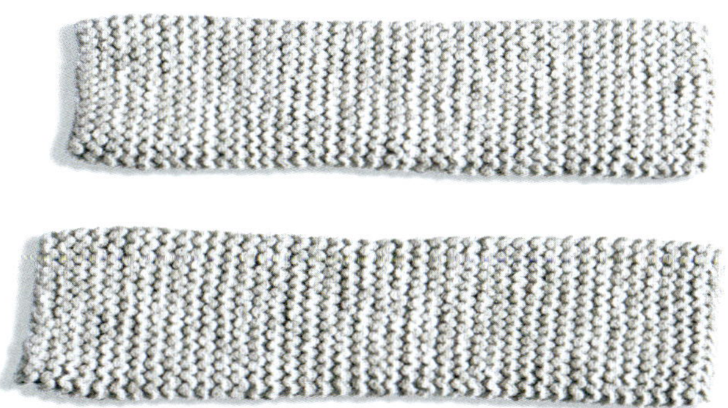

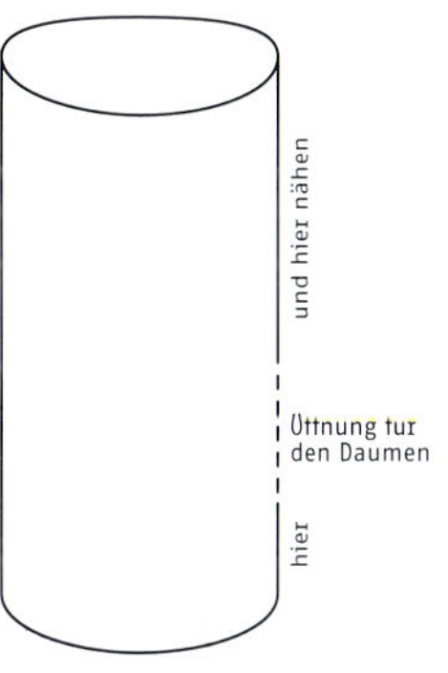

Beinstulpen

■ **Material**

250 g Wolle für die Nadelstärke
7 (z. B. Modern Art, Farbe: Camel
Mix Nr. 04, von Schachenmayr);
1 Paar Stricknadeln Stärke 7; 1
Sticknadel ohne Spitze zum Zusammennähen und Vernähen
der Fäden

Falls Sie Ihre „Legwarmers" – ich
finde das englische Wort für
„Beinwärmer" eigentlich sehr
passend – wie mein Modell arbeiten wollen, brauchen Sie
außerdem 12 Knöpfe, passendes
Nähgarn und 1 Nadel zum Annähen der Knöpfe.

Schlagen Sie 44 Maschen an
(siehe „Maschen anschlagen",
unten Seite 8 ff.). Sie stricken
wieder nur rechte Maschen
(siehe „Rechte Maschen stricken", unten Seite 12 f.). Nach
ca. 84 Reihen (ca. 33 cm) sind
die Stulpen fertig. Ketten Sie
alle Maschen ab (siehe „Abketten", unten Seite 18 f.). Natürlich können Sie die Stulpen nach
Belieben auch länger oder kürzer stricken. Die 2. Stulpe wird
genauso gearbeitet.
Anschließend vernähen Sie die
Fäden (siehe „Fäden vernähen",
unten Seite 43). Legen Sie die
beiden Längsseiten übereinander; die Oberseite liegt etwa
1 cm über der Unterseite. Mit
Steppstichen (siehe „Der Steppstich", unten Seite 44 f.) – ganz
nahe bei der Randmasche –
eine Naht arbeiten (siehe Zeichnung). Nähen Sie mit dem Nähgarn die Knöpfe entlang der
Naht fest.

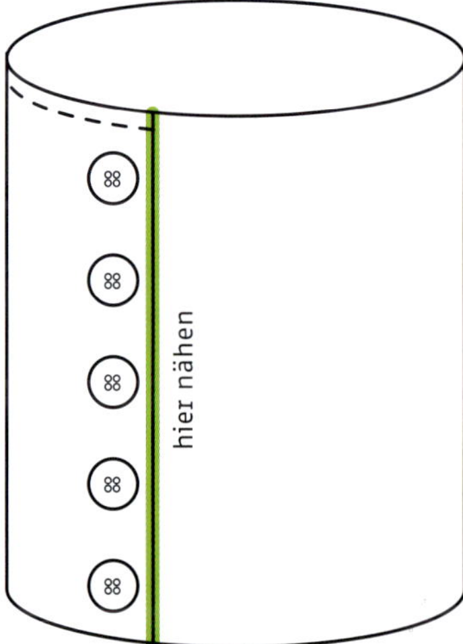

Rechte und linke Maschen – mit zwei Nadeln gestrickt

Hellblaue Jacke

■ Größe

Das Modell ist in Größe 36/38 gestrickt. Die Angaben für die Größe 40/42 stehen in Klammer dahinter.

■ Material

600 (650) g Wolle für die Nadelstärke 6 (z. B. Skylab, Farbe: Hellblau Nr. 53, von Schachenmayr); 1 Paar Stricknadeln Stärke 6; 1 Sticknadel ohne Spitze zum Vernähen der Fäden und zum Zusammennähen; 3 Maschenraffernadeln (ähnlich wie große Sicherheitsnadeln); 6 Knöpfe sowie passendes Nähgarn und 1 Nähnadel
Möchten Sie anstelle der Jacke mit Kragen nur eine ärmellose Weste stricken, benötigen Sie ca. 400 g Wolle.

■ Bündchenmuster

Die Bündchen aller Teile und die Knopfleiste werden kraus rechts gestrickt (siehe „Rechte Maschen stricken", unten Seite 12 f.).

■ Grundmuster

1. Reihe = Hinreihe: 1 Masche rechts, 1 Masche links (siehe unten Seite 52)
2. Reihe = Rückreihe: Nur rechte Maschen
Die 1. und 2. Reihe werden immer wiederholt.

■ Rückenteil

Schlagen Sie 76 (82) Maschen an und stricken Sie für das Bündchen 4 Reihen nur rechte Maschen. Die folgenden Reihenangaben beziehen sich nur auf die Reihen, die im Grundmuster gearbeitet werden. Die ersten 4 Reihen im Bündchenmuster werden also nicht mitgezählt. Stricken Sie 60 Reihen (31 cm) gerade hoch im Muster. Dann beginnen die Armausschnitte, die Sie auf beiden Seiten arbeiten müssen.

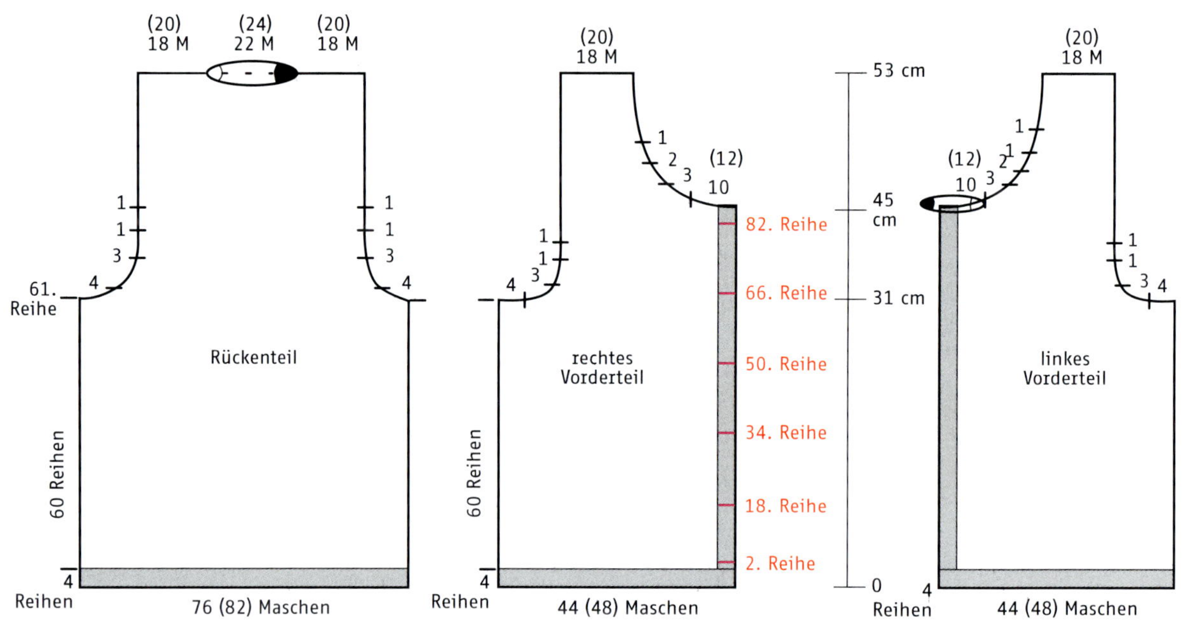

Tipp:
Ketten Sie nicht alle 58 (64) Maschen ab, sondern nur 18 (20) Maschen für eine Schulter. Stricken Sie 22 (24) Maschen (das sind die Halsausschnittmaschen) und fädeln Sie diese dann auf eine Maschenraffernadel. Ketten Sie noch einmal 18 (20) Maschen für die zweite Schulter ab. So müssen Sie die Maschen am Ende für den Halsbund nicht auffassen, sondern können einfach weiterstricken.

61. und 62. Reihe: Am Anfang jeder Reihe 4 Maschen abketten (siehe „Abketten für eine Rundung", unten Seite 19) und die folgenden Maschen im Grundmuster stricken.
63. und 64. Reihe: Am Anfang jeder Reihe 3 Maschen abketten

und die folgenden Maschen im Grundmuster stricken.

65., 66., 67. und 68. Reihe: Am Anfang jeder Reihe 1 Masche abketten und die folgenden Maschen im Grundmuster stricken. Ab der 69. Reihe stricken Sie bis zur 104. Reihe (22 cm) einfach im Muster gerade hoch und ketten in der 105. Reihe alle 58 (64) Maschen ab.

Das Rückenteil ist fertig!

■ **Linkes Vorderteil**

Hier werden die Knöpfe angenäht. Ich stricke es immer zuerst, denn dann kann ich genau abmessen oder abzählen, in welcher Reihe die Knopflöcher gestrickt werden müssen. Schlagen Sie 44 (48) Maschen an. Sie beginnen wieder mit 4 Reihen kraus rechts für das Bündchen. Stricken Sie weiter im Muster. Allerdings werden die ersten 6 (7) Maschen für die Knopfleiste kraus rechts gestrickt:

1. Reihe: 1 Randmasche, 6 (7) Maschen rechts stricken. Die restlichen Maschen im Grundmuster (1 Masche rechts, 1 Masche links) stricken.

2. Reihe: Alle Maschen rechts stricken, auch die Maschen der Knopfleiste.

Die Reihen 1 und 2 immer wiederholen bis zur 60. Reihe (31 cm). Hier beginnt der Armausschnitt. Er wird wie beim Rücken gestrickt, natürlich nur auf der rechten Seite des Strickteils:

Tipp:
Wählen Sie wie beim rückwärtigen Halsausschnitt die „elegantere Methode": Ketten Sie die Randmasche und die 5 (6) Maschen der Knopfleiste ab, stricken Sie die folgenden 5 (6) Maschen im Grundmuster und nehmen Sie sie auf die Maschenraffernadel. Die restlichen Maschen abketten.

61. Reihe: Auf der der Knopfleiste gegenüberliegenden Seite (rechte Seite des Strickteils) 4 Maschen abketten. Über die restlichen 40 (44) Maschen im Grundmuster stricken. (Knopfleiste nicht vergessen!)

62. Reihe: Rechte Maschen stricken.

63. Reihe: Auf der rechten Seite ketten Sie für den Armausschnitt 3 Maschen ab. Über die restlichen Maschen im Grundmuster stricken. (Knopfleiste nicht vergessen!)

64. Reihe: Rechte Maschen stricken.

65. Reihe: Auf der rechten Seite ketten Sie für den Armausschnitt 1 Masche ab. Über die restlichen Maschen im Grundmuster stricken. (Knopfleiste nicht vergessen!)

66. Reihe: Rechte Maschen stricken.

67. Reihe: Auf der rechten Seite 1 Masche abketten. Über die restlichen Maschen im Grund-

Variante

Wenn Sie anstelle der Jacke eine ärmellose Weste arbeiten möchten, ersparen Sie sich das Stricken der Ärmel. Um die Weste fertig zu stellen, fassen Sie die Maschen an den Armausschnitten auf und stricken 4 Reihen kraus rechts.

muster stricken. (Knopfleiste nicht vergessen!)

68.–91. Reihe: In Hinreihen 6 (7) Maschen für die Knopfleiste kraus rechts, die restlichen Maschen im Grundmuster stricken. In Rückreihen alle Maschen rechts stricken.

92. Reihe: Hier beginnt der Halsausschnitt. Dafür ketten Sie am Reihenanfang auf der linken Seite des Strickteils 10 (12) Maschen ab. Über die restlichen Maschen im Grundmuster stricken.

93. Reihe: Alle Maschen rechts stricken.

94. Reihe: Am Reihenanfang 3 Maschen abketten, restliche Maschen im Grundmuster stricken.

95. Reihe: Alle Maschen rechts stricken.

96. Reihe: Am Reihenanfang 2 Maschen abketten, restliche Maschen im Grundmuster stricken.

97. Reihe: Alle Maschen rechts stricken.

98. Reihe: Am Reihenanfang 1 Masche abketten, restliche Maschen im Grundmuster stricken.

99.–105. Reihe: Über die restlichen 18 (20) Maschen im Grundmuster stricken und in der 106. Reihe alle Maschen abketten.

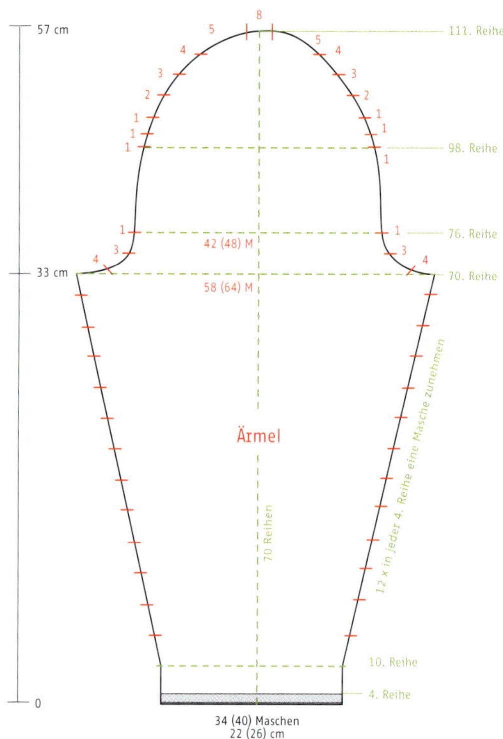

▮ Rechtes Vorderteil

Das rechte Vorderteil wird gegengleich zum linken gestrickt.

Die Knopflöcher arbeiten Sie in Reihe 2/3, 18/19, 34/35, 50/51,

66/67 und 82/83 (siehe „Das Knopfloch", unten Seite 30).

■ Ärmel

Schlagen Sie 34 (40) Maschen an. Das entspricht einer Länge von ca. 22 (26) cm.
Stricken Sie 4 Reihen kraus rechts für das Bündchen und dann weiter im Grundmuster. Ab der 10. Reihe müssen Sie in jeder 4. Reihe auf beiden Seiten jeweils nach und vor der Randmasche 1 Masche zunehmen (siehe „Maschen herausstricken", unten Seite 33), bis 58 (64) Maschen auf der Nadel sind.
Wenn Sie 70 Reihen (ca. 33 cm) gestrickt haben, beginnt die Abnahme für die Armkugel. Ketten Sie auf beiden Seiten in jeder 2. Reihe 1 × 4 Maschen, 1 × 3 Maschen und 1 × 1 Masche ab. Nun sind noch 42 (48) Maschen auf der Nadel. Anschließend stricken Sie 22 Reihen gerade hoch = 98. Reihe. Ab der 99.

Reihe ketten Sie auf beiden Seiten in jeder 2. Reihe 3 × je 1 Masche, 1 × 2 Maschen, 1 × 3 Maschen, 1 × 4 Maschen und 1 × 5 Maschen ab. Zum Schluss die restlichen 8 (14) Maschen abketten.
Stricken Sie den 2. Ärmel genauso.

■ Fertigstellung

Alle Teile sind gestrickt und Sie beginnen nun mit dem Vernähen der Fäden (siehe „Fäden vernähen", unten Seite 43). Nähen Sie anschließend die Seitennähte im Matratzenstich zusammen (siehe „Der Matratzenstich", unten Seite 46 f.). Danach die Schulternähte ebenfalls zusammennähen (siehe „Zusammennähen von Schulternähten", unten Seite 47) und die Nähte an beiden Ärmeln schließen. Die Ärmel mit Steppstichen in das Armloch einnähen (siehe „Steppstich", unten Seite 44 f.).

■ Kragen- oder Stehbund

Fassen Sie alle Maschen um den Halsausschnitt herum auf (siehe „Maschen am Rand herausstricken", unten Seite 34). Wenn Sie mit der Maschenraffernadel gearbeitet haben, stricken Sie die Maschen am vorderen Halsausschnitt ab, fassen die Maschen an der Schräge auf, stricken die Maschen am rückwärtigen Halsausschnitt von der Maschenraffernadel, fassen die Maschen an der Schräge des zweiten Vorderteils auf und stricken die letzten Maschen der Maschenraffernadel. Stricken Sie alle Maschen rechts. Nach ca. 4–5 cm ketten Sie alle Maschen ab.
Möchten Sie einen Kragen stricken wie bei dem hier gezeigten Modell, dann arbeiten Sie einfach weiter und ketten alle Maschen nach ca. 12 cm locker ab. Vernähen Sie die Restfäden, nähen Sie die Knöpfe an und fertig ist Ihr Prunkstück!

Weste mit aufgesetzter Knopflochleiste

■ **Größe** 34

■ **Material**

250 g Wolle für die Nadelstärke 4,5–5 (z. B. Balino, Farbe: Mexiko Color Nr. 85, von Schachenmayr); 1 Paar Stricknadeln Stärke 4,5 –5; 1 stumpfe Sticknadel zum Vernähen der Fäden; 14 Knöpfe; 1 Nähnadel sowie Nähgarn zum Annähen der Knöpfe

■ **Grundmuster**

1. Reihe: 1 Randmasche (siehe unten Seite 16), 4 Maschen rechts (siehe „Rechte Maschen stricken", unten Seite 12 f.), * 5 Maschen links (siehe „Linke Maschen stricken", unten Seite 14 f.), 2 Maschen rechts *, von * bis * 8 × wiederholen (siehe „Sternchen", unten Seite 51), 2 Maschen rechts, 1 Randmasche

2. Reihe: Rechte Maschen
Diese beiden Reihen stets wiederholen.

■ **Rückenteil**

Schlagen Sie 64 Maschen an (siehe „Maschen anschlagen", unten Seite 8 ff.). Stricken Sie 52 Reihen im Grundmuster (25 cm).
In der 53. Reihe stricken Sie den Armausschnitt. Ketten Sie am Anfang der Reihe 7 Maschen ab (siehe „Abketten", unten Seite 18 f.), stricken Sie dann 4 Maschen rechts und die folgenden Maschen bis zum Reihenende, wie sie erscheinen (siehe „Maschen stricken, wie sie erscheinen", unten Seite 25). In der 54. Reihe erneut 7 Maschen abketten, dann alle Maschen rechts stricken. Damit sich der Armausschnitt nicht rollt, stricken Sie am Anfang und Ende jeder folgenden Reihe nach und vor der Randmasche immer 4 rechte Maschen.

Stricken Sie noch 42 Reihen (20 cm/Gesamtlänge 45 cm) gerade hoch und ketten Sie dann alle Maschen ab.

■ **Rechtes Vorderteil**

Schlagen Sie 32 Maschen an, stricken Sie die ersten 7 Maschen für die Knopfleiste kraus rechts (1 Randmasche, 6 Maschen rechts) und die restlichen Maschen im Grundmuster (* 5 Maschen links, 2 Maschen rechts *, von * bis * stets wiederholen). Sie enden mit 3 Maschen rechts und 1 Randmasche.
Nach 52 Reihen (25 cm) stricken Sie den Armausschnitt. Dafür am linken Rand (gegenüber der Knopfleiste) 7 Maschen abketten. Stricken Sie im weiteren Verlauf wie beim Rücken stets 4 Maschen rechts.
Nach weiteren 29 Reihen (Gesamthöhe 39 cm) stricken Sie den Halsausschnitt (siehe „Abketten für eine Rundung", unten Seite 19). Dafür 1 × 6

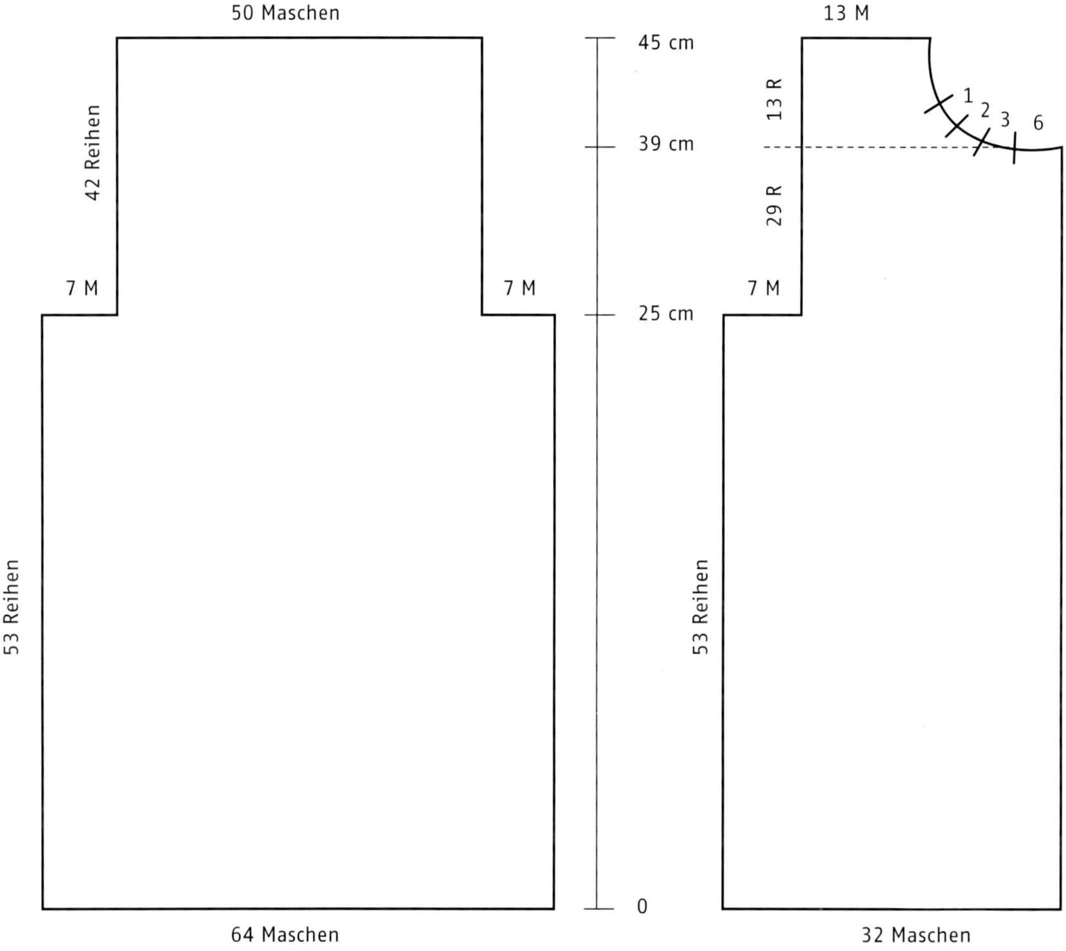
50 Maschen
42 Reihen
7 M
7 M
53 Reihen
64 Maschen
45 cm
39 cm
25 cm
0
13 M
13 R
29 R
7 M
53 Reihen
32 Maschen
1
2
3
6

Maschen, 1 × 3 Maschen, 1 × 2 Maschen und 1 × 1 Masche in jeder Hinreihe abketten.
Bei einer Gesamtlänge von 45 cm alle Maschen abketten.

■ Linkes Vorderteil

Gegengleich stricken, d. h. die Knopfleiste am linken Rand, den Armausschnitt am rechten Rand arbeiten.

■ Fertigstellung

Nähen Sie die Seiten- und Schulternähte im Matratzenstich zusammen (siehe „Der Matratzenstich", unten Seite 46 f.).
Für den Stehbund fassen Sie alle Maschen – außer den Maschen der Knopfleiste – um den Halsausschnitt auf (siehe „Maschen am Rand herausstricken", unten Seite 34). Stricken Sie 8 Reihen (3 cm) nur rechte Maschen und ketten Sie dann alle Maschen ab. Vernähen Sie die Fäden (siehe „Fäden vernähen", unten Seite 43).

■ Knopflochleiste („Lätzchen")

Die Knopflochleiste wird separat gestrickt und dann angeknöpft. Schlagen Sie 14 Maschen an. Stricken Sie 5 Reihen kraus rechts.
6. Reihe: 1 Randmasche, 2 Maschen rechts, 1 Umschlag, 2 Maschen rechts zusammenstricken (Knopfloch), 4 Maschen rechts, 2 Maschen rechts zusammenstricken, 1 Umschlag (Knopfloch), 2 Maschen rechts, 1 Randmasche (siehe auch „Das Knopfloch", unten Seite 30).
7. Reihe: Alle Maschen und die beiden Umschläge rechts stricken.
Die 6. und 7. Reihe wiederholen Sie in der 18. und 19. Reihe, 30. und 31. Reihe, 42. und 43. Reihe, 54. und 55. Reihe, 66. und 67. Reihe, 78. und 79. Reihe.
Stricken Sie noch bis zur 84. Reihe. Ketten Sie alle 14 Maschen ab.
Vernähen Sie die beiden Fäden. Anschließend nähen Sie die Knöpfe an die Weste, knöpfen das „Lätzchen" darüber und fertig ist Ihre bezaubernde kleine Weste!

Stricken mit der Rundstricknadel

Roter Herrenpullover mit Zöpfen

■ **Größe** 48–50

■ **Material**

800 g Wolle für die Nadelstärke 6 (z. B. Boston, Farbe: Feuer Nr. 30, von Schachenmayr); 1 Rundstricknadel, 80 cm lang, Stärke 5; 1 Rundstricknadel, 80 cm lang, Stärke 6; 1 Rundstricknadel, 40 cm lang, Stärke 6; 1 Nadelspiel/Strumpfnadeln Stärke 5; 1 Zopfmusternadel; 2 Maschenraffernadeln; 1 Sticknadel ohne Spitze
Möchten Sie noch einen separaten Rollkragen stricken, benötigen Sie ca. 100 g Wolle zusätzlich.

Ich nähe nur sehr ungern Teile zusammen. Deshalb stricke ich, wenn möglich, mit Rundstricknadeln. Bei diesem Raglanpulli stricke ich zuerst den Körper bis zur Achsel und danach die Ärmel ebenfalls bis zu dieser Stelle. Dann nehme ich alle Teile auf die Rundstricknadel. Auf diese Weise muss ich am Ende nur 8 Maschen zusammennähen! Wenn Sie den Herrenpullover in Reihen stricken möchten, halbieren Sie einfach die angegebene Maschenzahl, fügen 2 Randmaschen hinzu und stricken die Maschen in den Rückreihen, wie sie erscheinen (siehe „Maschen stricken, wie sie erscheinen", unten Seite 25).

■ **Bündchenmuster**

4 Maschen links (siehe „Linke Maschen stricken", unten Seite 14 f.), 1 Masche rechts (siehe „Rechte Maschen stricken", unten Seite 12 f.), * 2 Maschen links, 1 Masche rechts *, von * bis * stets wiederholen (siehe „Sternchen", unten Seite 51), enden mit 4 Maschen links

■ **Vorder- und Rückenteil**

Schlagen Sie auf der Rundstricknadel Stärke 5 für den Bund 168 Maschen an (siehe „Maschen anschlagen", unten Seite 8 ff.). Stricken Sie 12 Runden (6 cm) im Bündchenmuster.

> **Tipp:**
> Ich stricke den Bund oder die Bündchen immer mit der nächstkleineren Nadelstärke. So „leiern" sie nicht aus!

Wechseln Sie zur Rundstricknadel Stärke 6 und stricken Sie wie folgt: 4 Maschen links, * 4 Maschen rechts, 2 Maschen links, 1 Masche rechts, 2 Maschen links *, von * bis * stets wiederholen, enden mit 4 Maschen links. In der 6. Runde werden die 4 rechten Maschen verkreuzt: 2 Maschen auf eine Zopfmusternadel vor die Arbeit legen, 2 Maschen rechts stricken, dann die Maschen der Zopfmusternadel

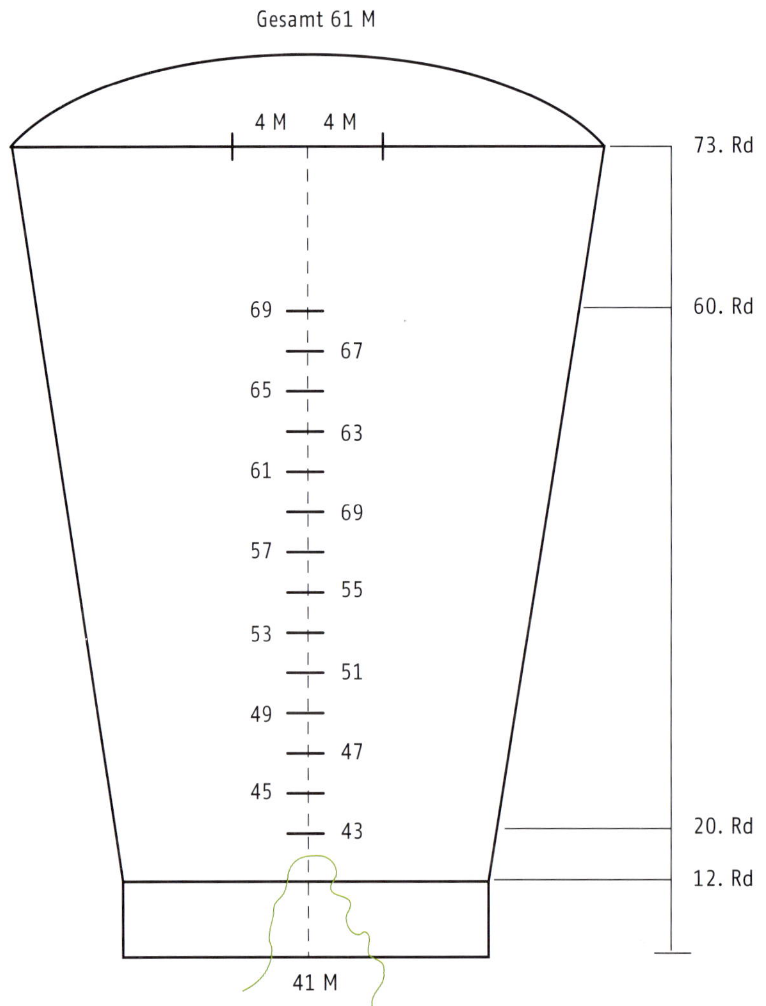

rechts stricken (siehe „Zopfmuster", unten Seite 63).
Stricken Sie auf diese Weise 60 Runden (ca. 40 cm), dabei werden die Zöpfe in jeder 6. Reihe verkreuzt.
Danach ketten Sie auf beiden Seiten die 8 linken Maschen ab, legen Sie Vorder- und Rückenteil zur Seite und stricken Sie die Ärmel.

■ Ärmel

Schlagen Sie für einen Ärmel 41 Maschen auf dem Nadelspiel Stärke 5 an.
Stricken Sie für das Bündchen 12 Runden (6 cm) wie folgt: 2 Maschen links, * 1 Masche rechts, 2 Maschen links *, von * bis * stets wiederholen. Markierungsfaden zwischen der 1. und 4. Nadel anbringen (siehe „Der Markierungsfaden", unten Seite 26). Wechseln Sie zur Rundstricknadel, 40 cm lang, Stärke 6 und stricken Sie wie folgt: 2 Maschen links, * 4 Maschen rechts,

2 Maschen links *, von * bis * stets wiederholen.
Ab der 8. Runde (20. Runde mit Bündchen) nehmen Sie in jeder 4. Runde 2 Maschen zu, indem Sie nach der 1. Masche der Runde und vor der letzten Masche der Runde jeweils 1 Masche zunehmen. Diese Zunahmen arbeiten Sie dann in der 12., 16., 20. Runde usw. (siehe Zeichnung

Seite 32 oben). Gleichzeitig verkreuzen Sie ab der 12. Runde in jeder folgenden 6. Runde die 4 rechten Maschen wie zuvor beschrieben. Wenn Sie 69 Maschen auf der Nadel haben, stricken Sie ohne Zunahmen weiter. In der 73. Runde ketten Sie für den Armausschnitt 8 Maschen ab – je 4 Maschen vor und nach dem Markierungsfaden.

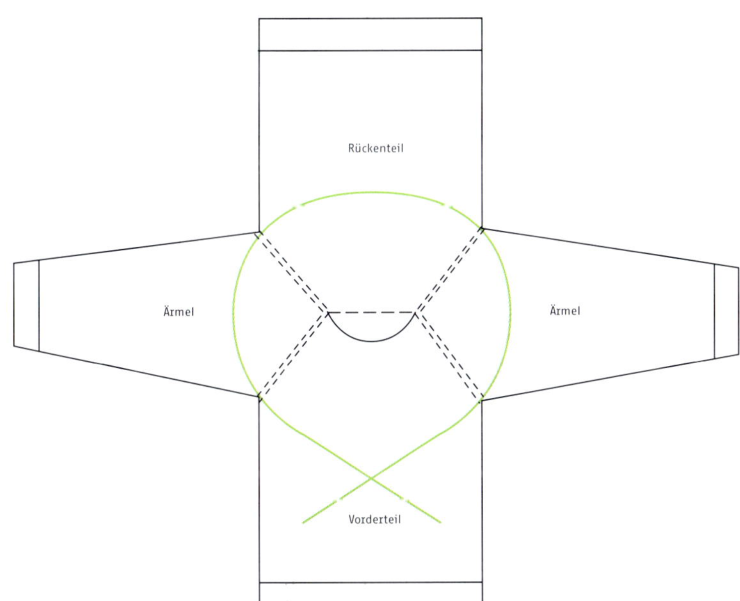

Jetzt werden alle Teile nacheinander auf die große Rundstricknadel genommen = 274 Maschen (siehe Zeichnung). Nach dem Vorderteil stricken Sie die Maschen des ersten Ärmels (immer gemäß Muster) von der Ärmel-Rundstricknadel ab, dann die Maschen des Rückenteils und zum Schluss die Maschen des 2. Ärmels. Die abgeketteten Maschen (= Lücken) liegen übereinander. Nun werden in jeder Runde alle Maschen im Muster weitergestrickt. Allerdings müssen die Raglanschrägen (siehe „Die Raglanschräge", unten Seite 36) beachtet werden. Die Schrägen bestehen aus 3 Maschen (1 Masche rechts, 1 Masche links, 1 Masche rechts) und werden jeweils von der letzten Masche eines Teils und den ersten beiden Maschen des folgenden Teils gebildet.
In der 2. Runde beginnen Sie mit den Raglanabnahmen. Dafür stricken Sie nach den oben ge-

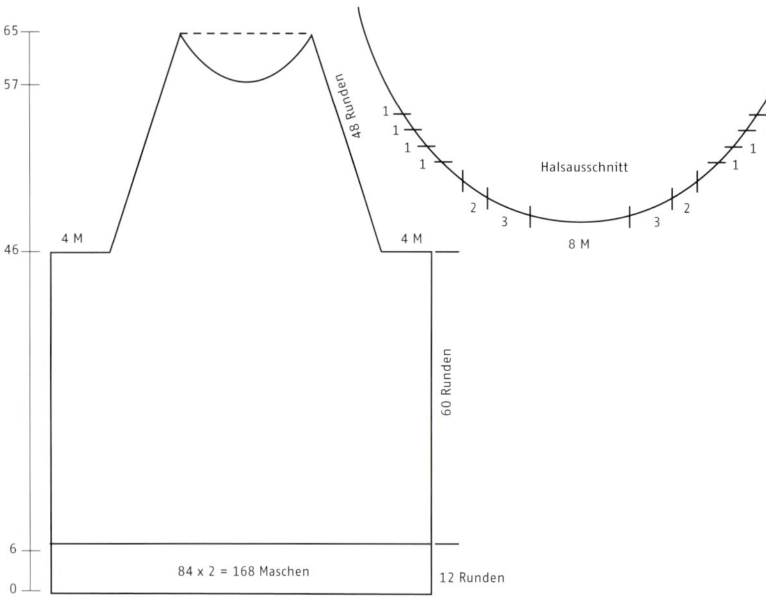

Zopfmusternadel rechts stricken. Bei der Abnahme vor den 3 Maschen die ersten beiden Zopfmaschen auf die Zopfmusternadel vor die Arbeit legen, die folgenden 2 Maschen überzogen zusammenstricken, dann die Maschen der Zopfmusternadel rechts stricken.

Stricken Sie diese Reihen- und Musterfolge, bis Sie eine Gesamthöhe von ca. 57 cm erreicht haben. Die Zöpfe sind 18 × verkreuzt.

Für den Halsausschnitt (siehe Zeichnung) ketten Sie in der Mitte des Vorderteils 8 Maschen ab (siehe „Abketten für eine Rundung", unten Seite 19). Stricken Sie die restlichen Maschen,

nannten 3 Maschen jeweils 2 Maschen rechts zusammen, vor den 3 Maschen 2 Maschen überzogen zusammen (siehe „Maschen abnehmen", unten Seite 31). Nach der Abnahme-Runde stricken Sie eine Runde ohne Abnahme und wiederholen diese beiden Runden nun fortlaufend. In einigen Runden treffen Zopf-Runde und Abnahme-

Runde aufeinander. Sie können wie gewohnt abnehmen oder Sie nehmen für ein schöneres Strickbild wie folgt ab: Bei der Abnahme nach den 3 Maschen die ersten beiden Maschen des Zopfes zusammenstricken und die daraus entstandene Masche auf die Zopfmusternadel legen, die 3. und 4. Zopfmasche rechts stricken, dann die Masche der

Tipp:
Ein bisschen Mogelei muss manchmal sein. Wenn das Muster nicht aufgeht, stricken Sie einfach hinten in der Mitte 2 Maschen zusammen.

bis Sie wieder an der Ausschnitt-Vorderseite angelangt sind. Ab jetzt stricken Sie nicht mehr in Runden, sondern in Reihen. Ketten Sie am Anfang jeder Reihe 1 × 3 Maschen, 1 × 2 Maschen und 4 × 1 Masche ab. An den Ärmeln und beim Rückenteil nehmen Sie weiter für die Raglanschräge ab. Die letzte Reihe haben Sie erreicht, wenn alle Maschen des Vorderteils abgenommen und bei den Ärmeln noch je 2 Maschen übrig sind. Am Rückenteil werden die 3 Zöpfe noch einmal gedreht. Natürlich befinden sich auch die vier Gruppen aus 3 Maschen der Raglanschrägen noch auf der Nadel.

Stricken Sie nun noch das Halsbündchen: Mit der kleinen Rundstricknadel die Maschen aus dem Halsausschnittrand des Vorderteils auffassen (siehe „Maschen am Rand herausstricken", unten Seite 34), die restlichen Maschen von der langen Rundstricknadel herunternehmen. In der 1. Runde über alle Maschen nur rechte Maschen stricken, in den folgenden 4 Runden 2 Maschen links, 1 Masche rechts stricken. Dann alle Maschen rechts abketten. Vernähen Sie die Fäden (siehe „Fäden vernähen", unten Seite 43) und nähen Sie ganz zuletzt noch die 8 Maschen in der Achsel zu. Fertig!

■ Rollkragen

Wenn Sie zusätzlich noch einen separaten Rollkragen stricken möchten, schlagen Sie auf der kurzen Rundnadel 74 Maschen an. Stricken Sie 1 Masche rechts, 1 Masche links, bis Sie einen Schlauch von 18–20 cm Höhe gearbeitet haben. Fäden vernähen. Fertig!

Und noch ein Tipp:
Lassen Sie einen langen Faden hängen, den Sie nicht sofort vernähen. Falls der Halsausschnitt zu eng oder zu weit geraten ist, müssen Sie nicht mühsam den vernähten Faden suchen, sondern können die letzte Runde auftrennen und noch einmal lockerer oder fester abketten.

Kinderpullunder

Dieser Pullunder sieht natürlich nicht nur in den Farben der Trikolore, sondern auch in Grün, Gelb und Orange, in Pink, Lila und Rosa oder in Hellblau, Dunkelblau und Türkis hübsch aus. Sie haben tausend Möglichkeiten, die Farben zu kombinieren! Das Stricken in Runden hat bei diesem Pullunder in mehreren Farben den großen Vorteil, dass man nur die Hälfte der Fäden vernähen muss. Außerdem strickt man bei glatt rechts gestrickten Teilen immer nur rechte Maschen.

Natürlich können Sie den Pullunder auch in Reihen stricken. Alle Informationen für das Stricken in Reihen finden Sie ebenfalls in der Strickanleitung.

■ **Größe** 134–140

■ **Material**

150 g rote Wolle, 100 g blaue Wolle, 50 g weiße Wolle für die Nadelstärke 3,5–4,5 (z. B. Regia 8-fädig, Farbe Nr. 2002, 324 und 2080, von Schachenmayr); 1 Rundstricknadel, 60 cm lang, Stärke 3,5, für den Bund; 1 Rundstricknadel, 60 cm lang, Stärke 4,5, für den glatt rechts gestrickten Teil; 1 Rundstricknadel, 50 cm lang, Stärke 3,5, für den Halsausschnitt und die Armausschnitt-Einfassung; 2 Maschenraffernadeln; 1 Sicherheitsnadel; 1 stumpfe Sticknadel zum Vernähen der Fäden

■ **Streifenfolge**

4 Runden blau, 2 Runden weiß, 2 Runden blau, 8 Runden rot, 2 Runden blau, 2 Runden weiß, 2 Runden blau, 11 Runden rot, 11 Runden blau, 7 Runden rot, 2 Runden weiß, 10 Runden rot, 8 Runden blau, 8 Runden rot, 8 Runden blau, 8 Runden rot

■ **Vorder- und Rückenteil**

Schlagen Sie mit der roten Wolle 160 Maschen auf der Rundstricknadel Stärke 3,5 an (siehe „Maschen anschlagen", unten Seite 8 ff.). Beim Stricken in Reihen: 81 Maschen für das Vorderteil und 79 Maschen für das Rückenteil anschlagen.

Stricken Sie 10 Runden/Reihen (5 cm) 1 Masche rechts, 1 Masche links (siehe unten Seite 52).

11. Runde (Reihe): Wechseln Sie zur Rundstricknadel Stärke 4,5. Ab jetzt stricken Sie nur rechte Maschen, also glatt rechts (siehe unten Seite 15). Wenn Sie mit 2 Nadeln arbeiten, stricken Sie 1 Reihe rechte Maschen, 1 Reihe linke Maschen. Stricken Sie noch eine Runde mit der roten Wolle.

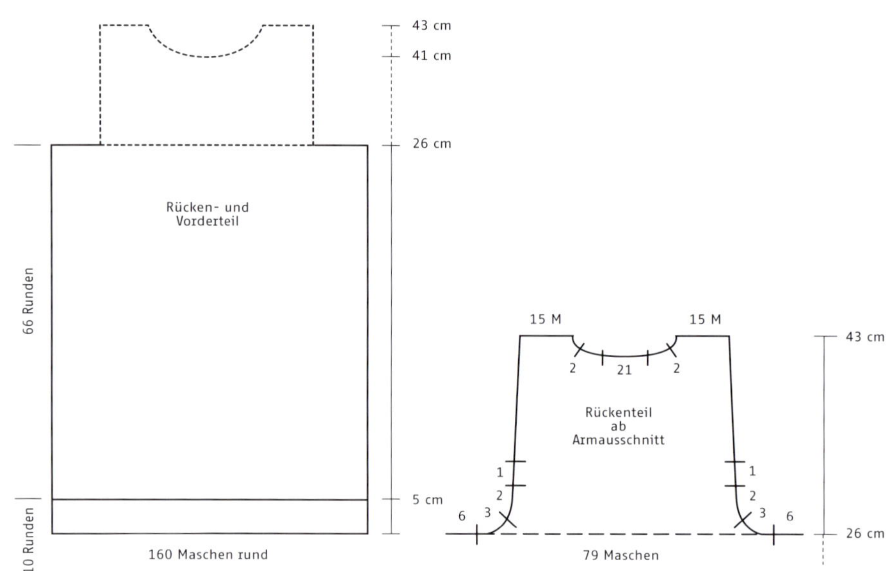

Danach den roten Faden abschneiden.
Stricken Sie weiter gemäß Streifenfolge.
Nach 76 Runden inklusive Bündchen (Gesamthöhe 26 cm) teilen Sie die Arbeit. Um eine Mittelmasche für den Halsausschnitt zu erhalten, „leihen" Sie sich 1 Masche vom Rückenteil. Also erhalten Sie 81 Maschen für das Vorderteil und 79 Maschen

für das Rückenteil. Wenn Sie in Reihen stricken, entfällt dieser Arbeitsschritt natürlich.

■ Oberes Rückenteil

Stricken Sie mit 79 Maschen für den Rücken weiter. Die 81 Maschen des Vorderteils legen Sie wie folgt still: 40 Maschen auf die 1. Maschenraffernadel, 1 Masche auf die Sicherheitsnadel

und 40 Maschen auf die 2. Maschenraffernadel. Stricken Sie

Tipp:
Wechseln Sie die Farben immer an der Stelle, an der die Seitennaht wäre. Man sieht dann die kleine „Treppe" nicht, die beim Farbwechsel entsteht!

die 79 Maschen des Rückenteils
mit der Rundstricknadel offen,
gemäß Streifenfolge, glatt rechts
weiter.

Ketten Sie beidseitig in jeder 2.
Reihe 1 × 6 Maschen, 1 × 3
Maschen, 1 × 2 Maschen, 1 × 1
Masche ab (siehe „Abketten für
eine Rundung", unten Seite 19).
15 cm nach dem Armausschnitt
stricken Sie den hinteren Halsausschnitt. Stricken Sie 17 Maschen, ketten Sie die mittleren
21 Maschen ab und stricken Sie
wieder 17 Maschen. Arbeit wenden. Stricken Sie die 17 Maschen bis zum Halsausschnitt.
Wenden Sie die Arbeit. Ketten
Sie am Anfang der Reihe 2 Maschen ab. Stricken Sie mit den
verbleibenden 15 Maschen
nochmals 3 Reihen. Die andere
Schulter genauso stricken. Das
Rückenteil ist fertig!

■ Obere Vorderteile

Die beiden Teile werden jeweils
separat gestrickt (40 Maschen

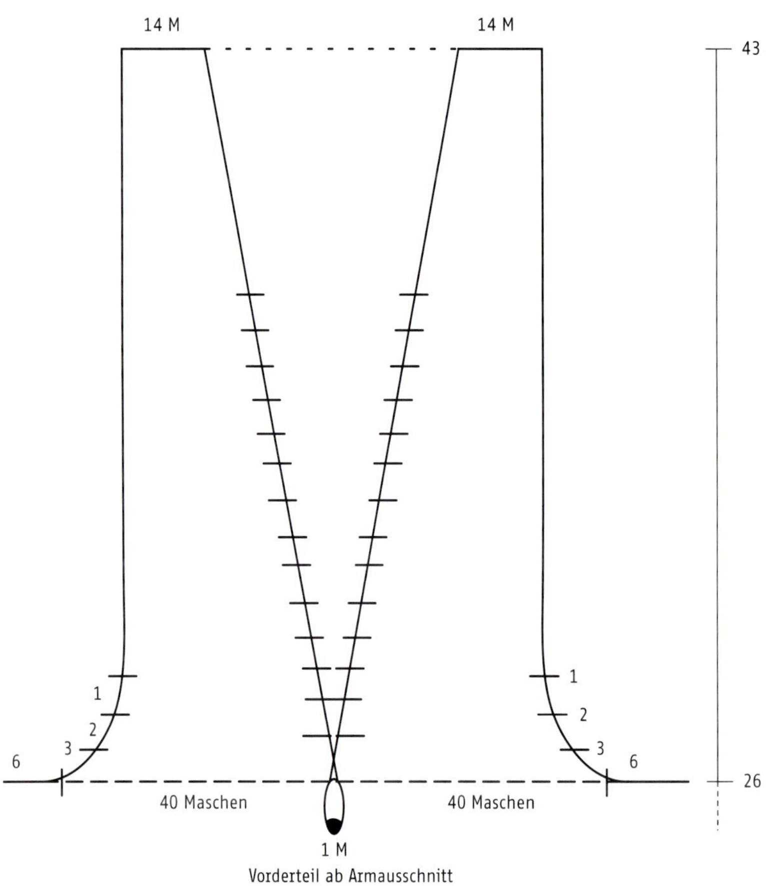

Vorderteil ab Armausschnitt

pro Teil). Die Streifenfolge entspricht der des Rückenteils. Die Armausschnitte werden wie beim Rückenteil gestrickt. Gleichzeitig beginnen Sie mit der Abnahme für den Halsausschnitt. Für den V-Ausschnitt stricken Sie auf der rechten Seite des linken Vorderteils bzw. auf der linken Seite des rechten Vorderteils 14 × die Randmasche mit der nächsten Masche zusammen. Sie nehmen also für die Ausschnittschrägung am inneren Rand 14 Maschen ab (siehe „Maschen abnehmen", unten Seite 31).

■ **Fertigstellung**

Vernähen Sie die Fäden (siehe „Fäden vernähen", unten Seite 43). Wenn Sie rund gestrickt haben, nähen Sie die Schulternähte zusammen (siehe „Zusammennähen von Schulternähten", unten Seite 47). Haben Sie in Reihen gestrickt, müssen Sie auch noch die Seitennähte zusammennähen.

Die Einfassung des V-Ausschnitts stricken Sie mit der Rundstricknadel Stärke 3,5 (50 cm). Ob Sie die Einfassung mit der roten oder der blauen Wolle stricken, bleibt Ihnen überlassen.

Beginnen Sie in der hinteren Mitte mit dem Auffassen der Maschen (siehe „Maschen am Rand herausstricken", unten Seite 34). Fassen Sie die Maschen der hinteren Ausschnitthälfte und der vorderen Halsschräge des rechten Vorderteils auf. Wenn Sie bei der Sicherheitsnadel, auf der 1 Masche, die besonders wichtige Mittelmasche, liegt, angekommen sind, stricken Sie diese Masche rechts und legen ein andersfarbiges Fädchen um die Masche, damit Sie sie immer sofort sehen (siehe „Der Markierungsfaden", unten Seite 26).

Fassen Sie die Maschen an der zweiten Schräge auf und an der zweiten hinteren Ausschnitthälfte.

1. Runde: Stricken Sie alle Maschen rechts verschränkt (siehe „Die rechts verschränkte Masche", unten Seite 17).

2. Runde: In dieser Runde beginnt die Abnahme für die Spitze des Ausschnitts. Stricken Sie 1 Masche rechts, 1 Masche links im Wechsel bis 2 Maschen vor der Mittelmasche. Heben Sie 1 Masche ab, stricken Sie 1 Masche. Ziehen Sie die abgehobene Masche über die gestrickte. Stricken Sie die Mittelmasche rechts. Stricken Sie die 2 Maschen nach der Mittelmasche zusammen. Bis zum Ende der Runde wieder 1 Masche rechts, 1 Masche links stricken. Wiederholen Sie die 2. Runde fortlaufend. Nach 8 Runden be-

ginnen Sie mit dem Abketten (siehe „Abketten", unten Seite 18 f.). Ketten Sie alle Maschen rechts ab bis auf die Masche vor der Mittelmasche, die Mittelmasche und die Masche nach der Mittelmasche. Diese 3 Maschen stricken Sie zusammen und ziehen dann die Abkettmasche darüber. Nach Fertigstellung der Halseinfassung vernähen Sie die beiden Fäden.

Stricken Sie jetzt noch die Einfassungen für die Armausschnitte: Fassen Sie zunächst die Maschen auf (siehe „Maschen am Rand herausstricken", unten Seite 34), stricken Sie die 1. Runde rechts verschränkt, danach 1 Masche rechts, 1 Masche links. Ketten Sie nach 6 Runden alle Maschen rechts ab.

Zum Schluss werden die Fäden vernäht und der Pullunder ist fertig.

Babyjäckchen

Um dieses Jäckchen zu stricken, ist eine Rundstricknadel zwar außerordentlich hilfreich, denn auf ihr lassen sich die 290 Maschen aller 5 Teile leicht unterbringen. Gestrickt wird jedoch in Reihen, nicht in Runden!

■ **Größe** 62–68

■ **Material**
100 g Babywolle für die Nadelstärke 2,5–3 (z. B. Piccola, Farbe: Mimose Nr. 20, von Schachenmayr, für die farbigen Streifen Reste der Wolle vom Babyhöschen, Farbe 81); 1 Paar Stricknadeln Stärke 2,5–3 und 1 Rundstricknadel, 60 cm lang, der gleichen Stärke; 1 stumpfe Sticknadel zum Vernähen der Fäden; 4 Maschenraffernadeln; 5 Knöpfe; 1 Nähnadel sowie Nähgarn zum Annähen der Knöpfe

■ **Rückenteil**
Schlagen Sie 70 Maschen an (siehe „Maschen anschlagen", unten Seite 8 ff.). Beachten Sie auch die Zeichnung auf Seite 45. Das Rückenteil ist mit 1 gekennzeichnet. Stricken Sie 11 Reihen (3 cm) 1 Masche rechts, 1 Masche links (siehe unten Seite 52).
In der 12. Reihe und 13. Reihe stricken Sie nur rechte Maschen. Anschließend wird von der 14. bis zur 21. Reihe glatt rechts gestrickt (Hinreihen: rechte Maschen, Rückreihen: linke Maschen, siehe auch unten Seite 15).
In der 22. und 23. Reihe stricken Sie mit der andersfarbigen Wolle nur rechte Maschen. Schneiden Sie den Faden am Ende der Reihe ab und stricken Sie mit der gelben Wolle weiter. Wiederholen Sie noch 2 × die Reihen 14–23 (bis Reihe 43).
Reihe 44: Stricken Sie mit der gelben Wolle alle Maschen rechts.

Reihe 45: Stricken Sie mit der gelben Wolle alle Maschen links. Legen Sie die Maschen auf eine Maschenraffernadel und lassen Sie die Arbeit auf dieser Nadel ruhen.

■ **Linkes Vorderteil**
Dieses Vorderteil ist das Teil ohne Knopflöcher (in der Zeichnung gekennzeichnet mit 2). Schlagen Sie 45 Maschen an. Stricken Sie im Muster wie beim Rückenteil. Ab der 14. Reihe werden für die Knopfleiste die letzten 7 Maschen kraus rechts gestrickt (= 6 Maschen plus Randmasche) – in der 14. Reihe am Ende der Nadel, in der 15. Reihe am Anfang der Nadel, also bei allen geraden Reihen am Ende und bei den ungeraden Reihen am Anfang der Nadel. Stricken Sie bis Reihe 44. In der 45. Reihe stricken Sie alle Maschen links.
Es ist ganz wichtig, dass Sie bei allen Teilen mit dieser Reihe en-

den, damit das Muster aller Teile genau zusammenpasst. Legen Sie die Maschen auf eine Maschenraffernadel und lassen Sie die Arbeit auf dieser Nadel ruhen.

■ Rechtes Vorderteil

Dies ist das Vorderteil mit Knopflochblende (in der Zeichnung gekennzeichnet mit 3). Es wird gegengleich zum linken Vorderteil gestrickt, d. h. die Knopflochblende liegt am rechten Rand. Beginnen Sie bereits in der 5. Reihe mit dem 1. Knopfloch. Für das Knopfloch stricken Sie die 2. und 3. Ma-

sche nach der Randmasche rechts zusammen und machen einen Umschlag (siehe „Das Knopfloch", unten Seite 30). Das nächste Knopfloch arbeiten Sie in der 27. Reihe.

■ Ärmel

Schlagen Sie auf der Stricknadel 44 Maschen an. Stricken Sie 7 Reihen (2 cm) 1 Masche rechts, 1 Masche links.

8. Reihe: Stricken Sie rechte Maschen und stricken Sie aus jeder rechten Masche des Bündchens 1 Masche heraus (siehe „Maschen herausstricken", unten Seite 33). Am Ende der Reihe haben Sie 65 Maschen auf der Nadel.

9. Reihe: Stricken Sie rechte Maschen.

10.–29. Reihe: Stricken Sie wieder im Muster wie beim Rückenteil angegeben.

30. Reihe: Stricken Sie alle Maschen rechts.

31. Reihe: Stricken Sie alle Maschen links.

Der 2. Ärmel wird genauso gestrickt.

Sie haben 5 Teile (Vorderteile, Rückenteil und Ärmel) gestrickt. Heben Sie alle Teile auf die Rundstricknadel in der Reihenfolge, wie in der Zeichnung angegeben. Auf der Nadel liegen nun 290 Maschen. Sie stricken in Reihen hin und her, also nicht in Runden, obwohl Sie mit einer Rundstricknadel arbeiten. Beginnen Sie mit den Vorbereitungen für die Raglanschräge (siehe „Die Raglanschräge", unten Seite 36). Damit Sie die Raglanschräge immer sofort fin-

Achtung!
Es ist wichtig, dass Ärmel und Körper mit der gleichen Reihe enden, damit das Muster bei allen Teilen zusammenpasst.

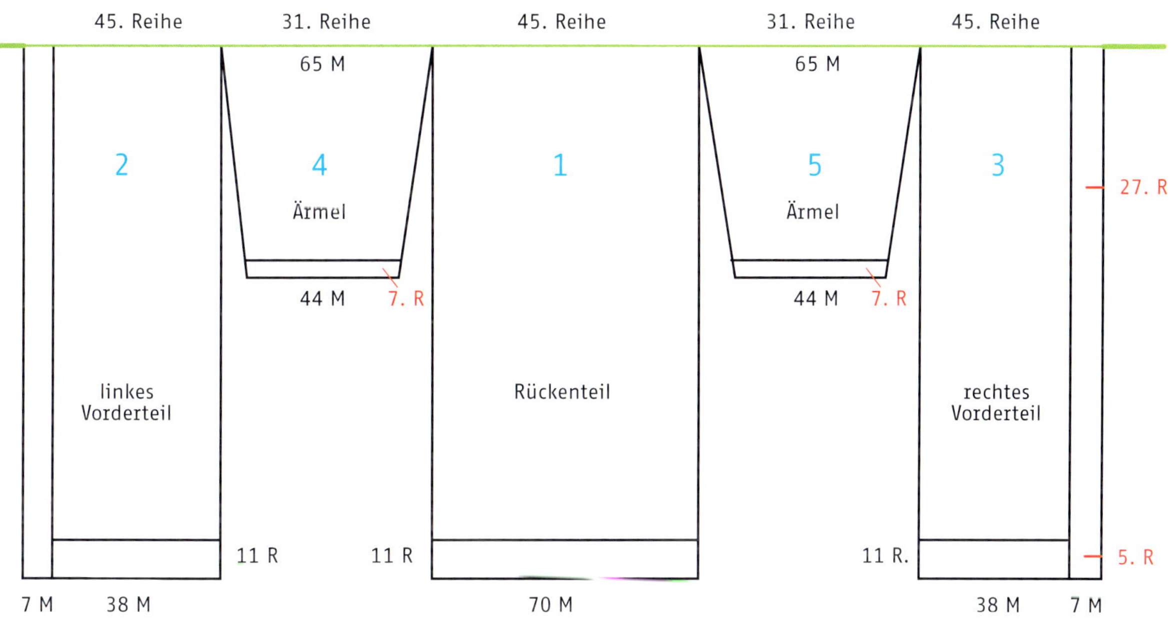

den, hängen Sie jeweils ein andersfarbiges Fädchen ein (siehe „Der Markierungsfaden", unten Seite 26). Stricken Sie die 4 Maschen der Raglanschräge immer rechts.
Stricken Sie 43 Maschen des Vorderteils und hängen Sie den 1. Markierungsfaden ein. Stri-

cken Sie die letzten 2 Maschen des Vorderteils und die ersten 2 Maschen des Ärmels und hängen Sie das andere Ende des Markierungsfadens ein.
Stricken Sie 61 Maschen des Ärmels und hängen Sie den 2. Markierungsfaden ein. Stricken Sie die letzten 2 Maschen des

Ärmels und die ersten 2 Maschen des Rückenteils und hängen Sie das andere Ende des Markierungsfadens ein.
Stricken Sie 66 Maschen des Rückenteils und hängen Sie den 3. Markierungsfaden ein. Stricken Sie die letzten 2 Maschen des Rückensteils und die ersten

2 Maschen des 2. Ärmels und hängen Sie das andere Ende des Markierungsfadens ein. Stricken Sie 61 Maschen des 2. Ärmels und hängen Sie den 4. Markierungsfaden ein. Stricken Sie die letzten 2 Maschen des Ärmels und die ersten 2 Maschen des Vorderteils und hängen Sie das andere Ende des Markierungsfadens ein. Stricken Sie die verbleibenden 43 Maschen des Vorderteils. Stricken Sie die Abnahmen für die Raglanschräge in jeder 2. Reihe.

Die Knopflöcher werden in der 3. Reihe, in der 21. Reihe und in der 43. Reihe gearbeitet.

45. Reihe: In der 45. Reihe beginnen Sie mit dem Halsausschnitt. Stricken Sie die ersten 12 Maschen und legen Sie sie dann auf die Maschenraffernadel. Stricken Sie die Reihe zu Ende und nehmen Sie auch weiterhin für die Raglanschräge ab.

46. Reihe: Stricken Sie die ersten 12 Maschen und legen Sie sie dann auf die Maschenraffernadel. Stricken Sie die Reihe zu Ende und nehmen Sie auch weiterhin für die Raglanschräge ab.

47.–54. Reihe: Ketten Sie am Anfang jeder Reihe 2 Maschen ab (siehe „Abketten für eine Rundung", unten Seite 19). Stricken Sie die Reihe wie gewohnt zu Ende.

55. Reihe: Legen Sie die 12 Maschen der Maschenraffernadel auf die Stricknadel und stricken Sie sie. Fassen Sie die abgeketteten Maschen auf (siehe „Maschen am Rand herausstricken", unten Seite 34). Stricken Sie die folgenden Maschen ohne abzunehmen, fassen Sie die abgeketteten Maschen auf und stricken Sie die restlichen 12 Maschen, die auf der Maschenraffernadel liegen.

56.–60. Reihe: Stricken Sie kraus rechts. Danach beginnt das Schlussabketten.

Ketten Sie die Randmasche und die 6 Maschen der Knopfleiste ab. Stricken Sie die nächsten beiden Maschen zusammen und ziehen Sie die 1 Masche auf der rechten Nadel über. * Stricken Sie 1 Masche und ziehen Sie die vorherige über, stricken Sie 2 Maschen zusammen und ziehen Sie die vorherige über *, von * bis * wiederholen, bis Sie an der 2. Knopfleiste angelangt sind. Hier werden die Maschen wieder einzeln abgekettet. Faden abschneiden.

■ **Fertigstellung**

Jetzt müssen Sie nur noch die Fäden vernähen (siehe „Fäden vernähen", unten Seite 43) sowie die Seitennähte und die Unterseite des Ärmels im Matratzenstich zunähen (siehe „Der Matratzenstich", unten Seite 46). Achten Sie darauf, dass die bunten Streifen aufeinander treffen. Nähen Sie noch hübsche kleine Knöpfe an und schon ist das kleine Jäckchen fertig!

Stricken mit dem Nadelspiel

Babyhöschen

■ **Größe** 62–68

Bei größeren Größen sind die Hosenbeine und der Körper etwas länger – pro Größe etwa 4 cm.

■ **Material**

50 g Babywolle für die Nadelstärke 2,5–3 (z. B. Piccola, Farbe: Confetti Color Nr. 81, von Schachenmayr, für die gelben Ränder ein Rest der Wolle vom Babyjäckchen, Farbe 20); 1 Rundstricknadel, 60 cm lang, Stärke 2,5–3; 1 Nadelspiel/Strumpfnadeln der gleichen Stärke; Hosengummiband, 65 cm lang (es gibt ein spezielles, besonders weiches Babygummiband); 1 Sicherheitsnadel zum Durchziehen des Gummibandes; 1 stumpfe Sticknadel zum Vernähen der Fäden und zum Umnähen der Kanten

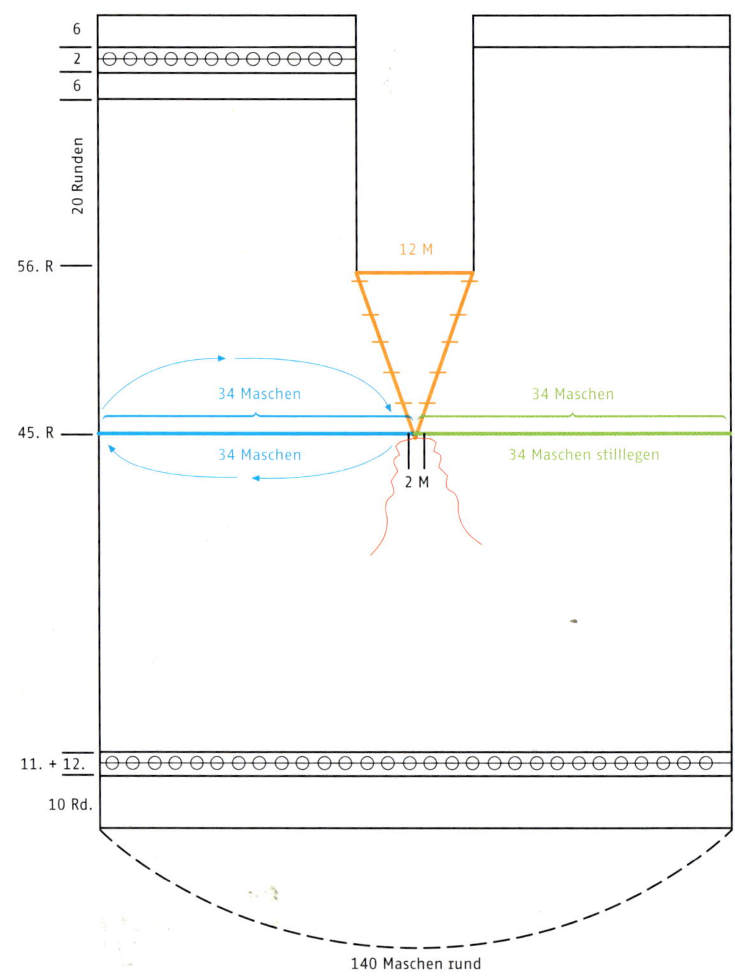

Schlagen Sie auf der Rundstricknadel 140 Maschen an (siehe „Maschen anschlagen", unten Seite 8 ff.). Stricken Sie 10 Runden rechte Maschen (siehe „Rechte Maschen stricken", unten Seite 12 f.).

11. Runde: Für die Mäusezähnchen (siehe „Mäusezähnchen", unten Seite 59) stricken Sie 2 Maschen rechts zusammen, machen 1 Umschlag und wiederholen dies fortlaufend bis zum Ende der Runde.

12. Runde: Stricken Sie die Umschläge und die zusammengestrickten Maschen als rechte Maschen.

13.–45. Runde: Nur rechte Maschen stricken (Gesamthöhe 16 cm).

46.–55. Runde: Hier beginnen Sie, in der Mitte des Vorder- und des Rückenteils den Zwickel zu stricken (siehe „Das Zwickelstricken", unten Seite 35). Nehmen Sie in jeder 2. Runde zu, bis Sie 10 Zwickelmaschen zugenommen haben.

In der 57. Runde ketten Sie die 12 Zwickelmaschen ab und stricken mit dem Nadelspiel weiter. Die Maschen des halben Vorderteils und des halben Rückenteils – das sind 68 Maschen – werden auf die 4 Nadeln des Nadelspiels aufgestrickt. Das sind 17 Maschen pro Nadel. Die 12 Maschen des 2. Zwickels und die restlichen 68 Maschen lassen Sie einfach auf der Rundstricknadel liegen. Stricken Sie mit dem Nadelspiel 20 Runden (7 cm). Stricken Sie dann die gelbe Wolle für die Mäusezähnchenborte an und arbeiten Sie damit 6 Runden. In der 27. und 28. Runde werden die Mäusezähnchen genauso wie am Bauchbund gestrickt. Stricken Sie noch einmal 6 Runden rechte Maschen, dann alle Maschen abketten.

Das erste Hosenbein ist fertig gestrickt!

Das zweite Hosenbein stricken Sie genauso und ketten dabei in der 1. Runde die 12 Maschen des 2. Zwickels ab.

■ **Fertigstellung**

Vernähen Sie alle Fäden (siehe „Fäden vernähen", unten Seite 43). Knicken Sie den oberen Bund nach innen, sodass die kleinen Zacken nach oben stehen. Nähen Sie den Rand mit Saumstichen fest (siehe „Der Saumstich", unten Seite 48 f.). Lassen Sie an der Seite einen kleinen Schlitz offen, damit Sie das Gummiband einziehen können. Nähen Sie den Zwickel mit Steppstichen zu (siehe „Der Steppstich", unten Seite 44 f.). Anschließend die Mäusezähnchenkanten an den beiden Hosenbeinen wie beim Bund umnähen. Ziehen Sie mit der Sicherheitsnadel das Gummiband durch den oberen Bund und nähen Sie es zusammen.

Rollrandmütze

Diese Rollrandmütze können Sie in vielen unterschiedlichen Größen nachstricken. Wenn Sie die Maschenzahl verändern (siehe „Maschenprobe", unten Seite 21 f.), achten Sie jedoch darauf, dass sie durch 8 teilbar ist. Da für die Sternabnahme an 8 Stellen abgenommen wird, ist das sehr wichtig.

Statt des Rollrandes können Sie auch einen Bund stricken. Sie können Zöpfe, Lochmuster, oder einfach 1 Masche rechts, 1 Masche links stricken – wie bei den traditionellen Fischermützen.

■ **Kopfumfang** 52–56 cm

■ **Material**
50 g Wolle für die Nadelstärke 3,5–4 (z. B. Regia 6-fädig Color, Farbe: Crazy Dschungel Nr. 5264); 1 Rundstricknadel, 40 cm lang, für die Stärke 3,5–4; 1 Nadelspiel/Strumpfnadeln für die gleiche Stärke; 1 stumpfe Sticknadel zum Vernähen der Fäden Für eine Mütze mit Aufschlag benötigen Sie 100 g Wolle.

Schlagen Sie auf der Rundstricknadel 104 Maschen an (siehe „Maschen anschlagen", unten Seite 8 ff.). Zuerst stricken Sie 10 Runden rechte Maschen (siehe „Rechte Maschen stricken", unten Seite 12 f.).

11. Runde: Stricken Sie nur linke Maschen (siehe „Linke Maschen stricken", unten Seite 14 f.).
12. Runde: Stricken Sie nur rechte Maschen.
13. Runde: Stricken Sie nur linke Maschen.
14. bis 44. Runde: Stricken Sie nur rechte Maschen.
45. Runde: Damit Sie die Stellen der Abnahme sofort finden, hängen Sie jeweils einen an-

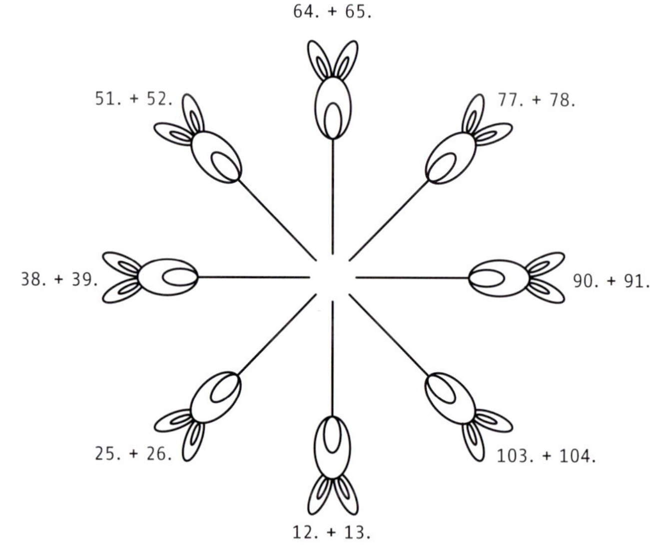

dersfarbigen Faden (siehe „Der Markierungsfaden", unten Seite 26) nach der 13., 26., 39., 52., 65., 78., 91. und 104. Masche ein. Zwischen jedem Faden befinden sich 13 Maschen. Jetzt beginnen Sie mit der Abnahme

(siehe „Maschen abnehmen", unten Seite 31).
46. Runde: Vor jedem Faden stricken Sie 2 Maschen rechts zusammen (siehe Zeichnung Seite 52), also die 12. und 13., die 25. und 26., die 38. und 39., die 51.

und 52., die 64. und 65., die 77. und 78., die 90. und 91. sowie die 103. und 104. Masche.
47. Runde: Diese Runde wird ohne Abnahme gestrickt.
48. Runde: Vor jedem Markierungsfaden stricken Sie 2

Maschen rechts zusammen. Zwischen den Fäden befinden sich jetzt nur noch 12 Maschen.

49. Runde: Diese Runde wird ohne Abnahme gestrickt.

50. Runde: Vor jedem Markierungsfaden stricken Sie 2 Maschen rechts zusammen. Zwischen den Fäden befinden sich jetzt nur noch 11 Maschen.

51. Runde: Diese Runde wird ohne Abnahme gestrickt.

52. Runde: Vor jedem Markierungsfaden stricken Sie 2 Maschen rechts zusammen. Zwischen den Fäden befinden sich jetzt nur noch 10 Maschen. Ab dieser Runde nehmen Sie in jeder Runde ab.

53. Runde: Vor jedem Markierungsfaden stricken Sie 2 Maschen rechts zusammen. Zwischen den Fäden befinden sich jetzt nur noch 9 Maschen.

54. Runde: Vor jedem Markierungsfaden stricken Sie 2 Maschen rechts zusammen. Zwischen den Fäden befinden sich

jetzt nur noch 8 Maschen. Jetzt wird die Rundstricknadel zu lang für diese Anzahl von Maschen. Stricken Sie die Maschen auf das Nadelspiel ab.

1. Nadel: 6 Maschen stricken, die 7. und 8. Masche zusammenstricken, 6 Maschen stricken, die 15. und 16. Masche zusammenstricken.

2. Nadel: 6 Maschen stricken, die 23. und 24. Masche zusammenstricken, 6 Maschen stricken, die 31. und 32. Masche zusammenstricken.

3. Nadel: 6 Maschen stricken, die 39. und 40. Masche zusammenstricken, 6 Maschen stricken, die 47. und 48. Masche zusammenstricken.

4. Nadel: 6 Maschen stricken, die 55. und 56. Masche zusammenstricken, 6 Maschen stricken, die 63. und 64. Masche zusammenstricken.

Auf jeder der vier Nadeln befinden sich nun 14 Maschen. Stricken Sie weiter in Runden

und nehmen Sie weiterhin an den 8 Stellen in jeder Runde ab (also auf jeder Nadel 2 ×), bis Sie nur noch 2 Maschen auf jeder Nadel haben. Schneiden Sie den Faden etwa 25 cm lang ab. Stricken Sie die Maschen wie rechte Maschen, ziehen Sie den Faden dann aber einfach durch die Maschen hindurch. Alle 8 Maschen liegen jetzt auf dem Faden. Ziehen Sie ihn nach innen und ziehen Sie dann fest an, damit sich das kleine Loch schließt.

Vernähen Sie den Anfangs- und Endfaden (siehe „Fäden vernähen", unten Seite 43) und fertig ist Ihre Mütze!

Fausthandschuhe

Es gibt viele verschiedene Möglichkeiten, Handschuhe zu stricken. Ich bevorzuge die Methode mit eingestricktem Zwickel. Ich bin der Meinung, dass der Daumen bei dieser Strickmethode mehr „Luft" hat – und diese wärmt ja bekanntlich.

■ **Größe** 6–7

■ **Material**
100 g Wolle für die Nadelstärke 4–4,5 (z. B. Sympatic, Farbe: Oliv Nr. 70, von Schachenmayr); 1 Nadelspiel Stärke 4–4,5; 1 Sicherheitsnadel zum Auffassen der Zwickelmaschen des Daumens; 1 stumpfe Sticknadel zum Vernähen der Fäden

Schlagen Sie auf 4 der 5 Nadeln 40 Maschen an, also auf jeder Nadel 10 Maschen (siehe „Maschen anschlagen", unten Seite 8 ff.). Stricken Sie 20 Runden

(8 cm) 1 Masche rechts, 1 Masche links (siehe unten Seite 52).

21.–24. Runde: Stricken Sie alle Maschen rechts.

Jetzt beginnen Sie mit dem Stricken des Zwickels (siehe „Das Zwickelstricken", unten Seite 35).

25. Runde: 1. Nadel: 4 Maschen rechts stricken, aus der 5. Masche 1 Masche herausstricken

(siehe „Maschen herausstricken", unten Seite 33), aus der 6. Masche 1 Masche herausstricken, 4 Maschen rechts stricken. Sie haben jetzt 2 Zwickelmaschen = 12 Maschen auf der 1. Nadel. Die Maschen der anderen Nadeln rechts stricken.

26. Runde: Stricken Sie alle Maschen rechts.

27. Runde: 1. Nadel: 4 Maschen rechts stricken, aus der 5. Ma-

sche 1 Masche herausstricken, 2 Maschen rechts stricken, aus der 8. Masche 1 Masche herausstricken, 4 Maschen rechts stricken. Sie haben jetzt 4 Zwickelmaschen = 14 Maschen auf der 1. Nadel. Die Maschen der anderen Nadeln rechts stricken.

28. Runde: Alle Maschen rechts stricken.

29. Runde: 1. Nadel: 4 Maschen rechts stricken, aus der 5. Masche 1 Masche herausstricken, 4 Maschen rechts stricken, aus der 10. Masche 1 Masche herausstricken, 4 Maschen rechts stricken. Sie haben jetzt 6 Zwi-

Tipp:
Wenn Sie sichergehen wollen, dass der Handschuh die richtige Länge bekommt, schlüpfen Sie einfach in den unfertigen Handschuh hinein! Wenn der kleine Finger bedeckt ist, können Sie mit der Abnahme beginnen.

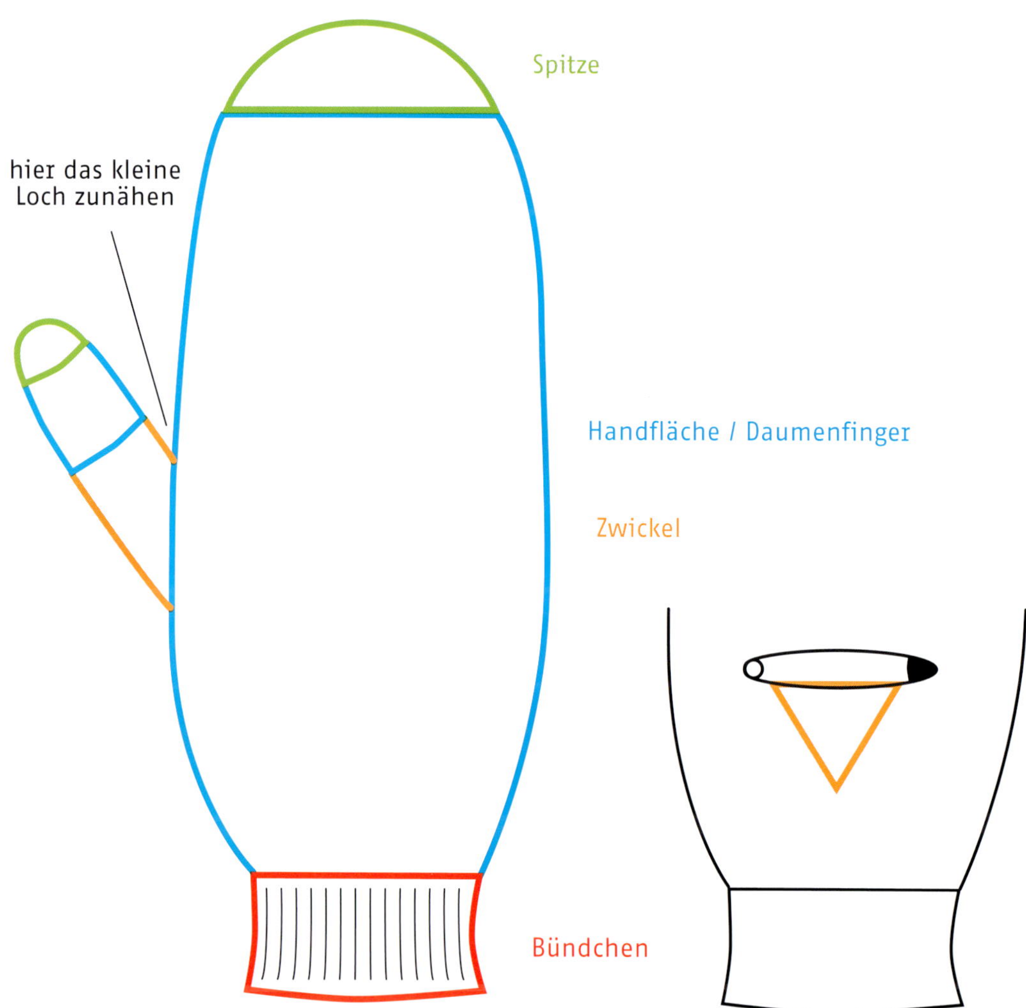
Spitze
hier das kleine
Loch zunähen
Handfläche / Daumenfinger
Zwickel
Bündchen

ckelmaschen. Die Maschen der anderen Nadeln rechts stricken. In dieser Art und Weise die Zwickelzunahmen weiterarbeiten bis zur 35. Runde. Sie haben nun 12 Zwickelmaschen.

In der 37. Runde werden die 12 Zwickelmaschen für den Daumen auf der Sicherheitsnadel stillgelegt (siehe Zeichnung Seite 58). Stricken Sie noch die restlichen Maschen bis zum Ende der Runde rechts. Der Zwickel ist fertig.

38.–63. Runde (23 cm Gesamtlänge): Nur rechte Maschen stricken.

64. Runde: Jetzt beginnt die Abnahme für die Handschuhspitze (siehe „Maschen abnehmen", unten Seite 31). Es wird in jeder 2. Runde am Anfang der Nadeln 1 und 3 und am Ende der Nadeln 2 und 4 abgenommen. Am Anfang von Nadel 1 und 3 werden die 2. und 3. Masche rechts zusammengestrickt, am Ende der Nadeln 2 und 4 werden die zweit- und drittletzte Masche überzogen zusammengestrickt. Ab Reihe 70 wird in jeder Runde abgenommen, bis sich auf jeder Nadel noch 1 Masche befindet. Schneiden Sie den Faden ab und ziehen Sie ihn mit der Sticknadel durch die Maschen, ziehen Sie den Faden nach innen und vernähen Sie ihn (siehe „Fäden vernähen", unten Seite 43). Stricken Sie nun den Daumen. Arbeiten Sie mit den 12 Maschen der Sicherheitsnadel (je 3 Maschen auf den 4 Nadeln des Nadelspiels) 14 Runden (5 cm). Ab der 15. Runde nehmen Sie ab. Dafür stricken Sie jede 2. und 3. Masche rechts zusammen. In der 16. Runde immer 2 Maschen zusammenstricken. Faden abschneiden, durch die restlichen 4 Maschen ziehen und innen vernähen.

Mit dem Anfangsfaden das kleine Loch zwischen Daumen und Handfläche zunähen. Der Handschuh ist fertig!

Der zweite Handschuh wird fast genauso gearbeitet. Einziger Unterschied: Der Zwickel für den Daumen wird auf der 4. Nadel gestrickt, damit Sie am Ende nicht 2 linke Hände haben!

Söckchen mit Lochmuster

Viele Stricker und Strickerinnen fürchten sich vor dem Sockenstricken. Ich habe das Sockenstricken schon viele hundert Male erklärt und immer wieder waren alle höchst erstaunt, wie einfach es in Wirklichkeit ist. Lesen Sie sich zunächst die Erläuterungen zu „Das Sockenstricken" unten auf Seite 37–41 genau durch. Sie werden sehen: Das Sockenstricken ist keine Hexerei, sondern eher Mathematik!

■ **Größe** 36–39
(Sohlenlänge: 18–20 cm, gemessen von der Ferse bis zur 1. Abnahme für die Spitze)

■ **Material**
100 g Wolle für die Nadelstärke 2,5–3 (z. B. Regia 4-fädig, Farbe: Sittich Nr. 622, von Schachenmayr); 1 Nadelspiel/

Strumpfnadeln Stärke 2,5–3; 1 stumpfe Sticknadel zum Vernähen der Fäden

■ **Lochmuster**
1. Runde: * 1 Masche rechts stricken (siehe „Rechte Maschen stricken", unten Seite 12 f.), 1 Umschlag (siehe „Der Umschlag", unten Seite 28 f.), 1 Masche abheben, 1 Masche rechts stricken, die abgehobene

Masche überziehen (siehe „Maschen abnehmen", unten Seite 31), 1 Masche rechts stricken *, von * bis * stets wiederholen (siehe „Sternchen", unten Seite 51).
2. Runde: Alle Maschen rechts stricken.
3. Runde: * 1 Masche rechts stricken, 2 Maschen rechts zusammenstricken (siehe „Maschen abnehmen", unten Seite

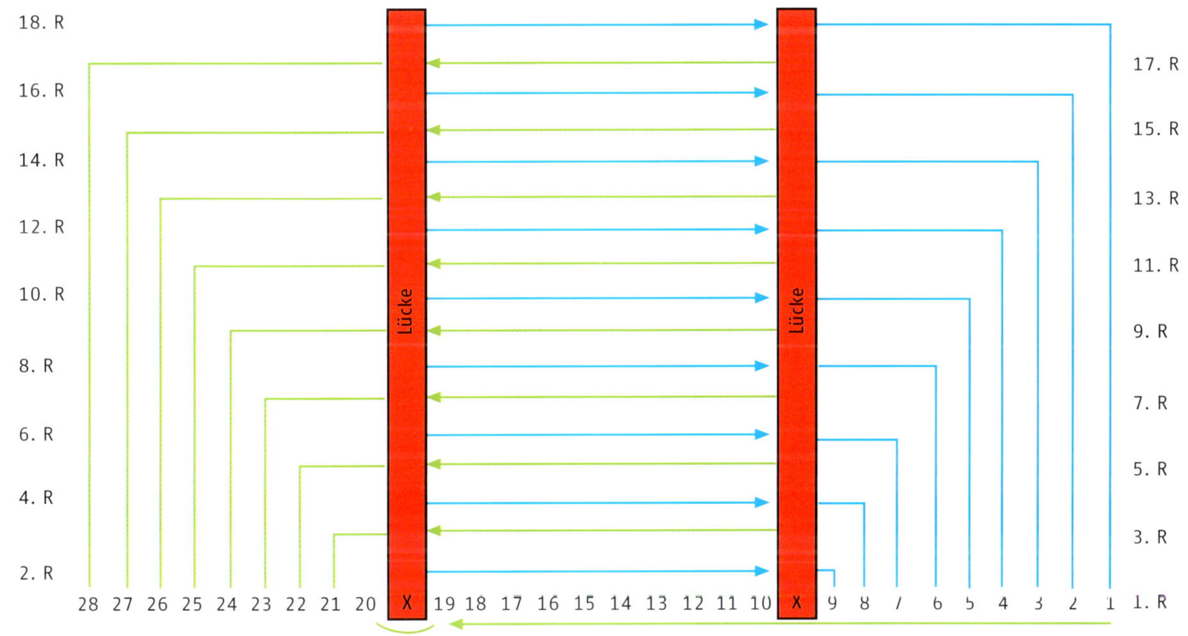

31), 1 Umschlag, 1 Masche rechts stricken *, von * bis * stets wiederholen.

4. Runde: Alle Maschen rechts stricken.

Schlagen Sie auf 4 der 5 Nadeln 56 Maschen an (siehe „Maschen anschlagen", unten Seite 8 ff.). Auf jeder Nadel befinden sich 14 Maschen. Stricken Sie 6 Runden nur rechte Maschen. So entsteht der kleine Rollrand.

7. Runde: Hier beginnt das Lochmuster (siehe unten Seite 60). Verteilen Sie für das Muster die Maschen folgendermaßen: Nadel 1 und 3: 16 Maschen, Nadel 2 und 4: 12 Maschen. So beginnen Sie jede Nadel immer mit einer rechten Masche.

Für das **Bündchen** stricken Sie das Lochmuster 11 × (10 cm). Anschließend wird der **Fersenlappen** gearbeitet. Stricken Sie mit Nadel 4 die Maschen von Nadel 1 mit rechten Maschen (also ohne Muster) ab. Es befinden sich 28 Maschen auf Nadel

4. Nadel 1 legen Sie zur Seite. Nadel 2 und 3 bleiben, wo sie sind, und werden für einige Zeit nicht gestrickt.

Die 28 Maschen stricken Sie glatt rechts. Stricken Sie 28 Reihen (siehe „Reihen zählen", unten Seite 24).

Anschließend arbeiten Sie das **Käppchen**. Es wird mit verkürzten Reihen gestrickt (siehe Zeichnung auf Seite 61). Sie haben 28 Maschen auf der Nadel. Die Maschenanzahl wird durch 3 geteilt. Es ergeben sich 9 Maschen und ein Rest von 1 Masche. Diese wird dem Mittelteil zugeteilt.

Sie stricken also 9 Maschen im 1. Drittel, 10 Maschen im 2. Drittel und 9 Maschen im 3. Drittel. Die Maschenanzahl im 2. Drittel bleibt immer 10; die Maschen des 1. und 3. Drittels verschwinden!

Stricken Sie 18 Maschen rechts (= 1. und 2. Drittel), stricken Sie die 19. Masche und die 1. Masche des 3. Drittels rechts zusammen. Wenden Sie die Arbeit. Heben Sie die 1. Masche (die zusammengestrickte!) ab, stricken Sie 8 Maschen links und stricken Sie die letzte Masche des 2. Drittels und die 1. Masche des 3. Drittels links zusammen. Arbeit wenden. Heben Sie die 1. Masche ab (die zusammengestrickte!), stricken Sie 8 Maschen rechts und stricken Sie die letzte Masche des 2. Drittels mit der 1. Masche des 3. Drittels rechts zusammen. Arbeit wenden.

Stricken Sie so weiter, bis die Maschen des 1. und 3. Drittels verschwunden sind. Auf Ihrer Nadel befinden sich nur noch die 10 Maschen des Mittelteils (2. Drittel). Sie haben das Käppchen gestrickt. War das nicht einfach? Stricken Sie nun die 10 Maschen des Käppchens und fassen Sie mit der gleichen Nadel die Randmaschen an der Seite des Fersenlappens auf (siehe „Maschen am Rand herausstricken",

unten Seite 34). Jetzt dürfen alle Nadeln wieder mitmachen. Stricken Sie die Maschen der Nadel 2 und Nadel 3 im Muster ab. Mit der Nadel 4 fassen Sie die Randmaschen an der 2. Seite des Fersenlappens auf und stricken 5 Maschen des Käppchens noch dazu. Stricken Sie jetzt wieder in Runden mit allen Nadeln.

1. Runde: Nadel 1: Stricken Sie die 5 rechten Maschen des Käppchens und danach rechts verschränkt (siehe „Die rechts verschränkte Masche", unten Seite 17) die aufgenommenen Maschen des Fersenlappens.

Nadel 2 und 3: Nur rechte Maschen stricken.

Nadel 4: Die aufgenommenen Maschen rechts verschränkt und die 5 Maschen des Käppchens rechts stricken.

In der nächsten Runde beginnt die **Zwickelabnahme**.

2. Runde: Nadel 1: Stricken Sie alle Maschen rechts bis auf die

beiden letzten Maschen auf der Nadel. Stricken Sie diese rechts zusammen (siehe „Maschen abnehmen", unten Seite 31).
Nadel 2 und 3: Stricken Sie im Muster.
Nadel 4: Heben Sie die 1. Masche ab, stricken Sie die 2. Masche. Ziehen Sie die 1. Masche über die 2. Masche. Stricken Sie die restlichen Maschen rechts.
3. Runde: Nur rechte Maschen stricken.
4., 6., 8., 10. und 12. Runde: Wie 2. Runde stricken.
5., 7., 9., 11. und 13. Runde: Wie 3. Runde stricken.
Nun haben Sie wieder Ihre Anfangsmaschenzahl von 56 Maschen erreicht und stricken weiter das glatte Stück, das natürlich bei gemusterten Söckchen nicht ganz so glatt ist. Stricken Sie einfach immer in Runden, bis Ihr Söckchen die nötige Länge hat.

Jetzt beginnt die **Schlussabnahme** für die Spitze. Das Lochmuster wird hier beendet. Sie stricken nur noch rechte Maschen. Stricken Sie mit der 2. Nadel 2 Maschen von der 3. Nadel herunter. Jetzt befinden sich wieder 14 Maschen auf jeder Nadel.
1. Runde (Abnahmerunde): Nadel 1 und 3: 11 Maschen stricken, 1 Masche abheben, 1 Masche stricken, abgehobene Masche überziehen, 1 Masche stricken.
Nadel 2 und 4: 1 Masche stricken, 2 Maschen zusammenstricken, 11 Maschen stricken. Auf jeder der 4 Nadeln befinden sich 13 Maschen.
2. Runde: Maschen rechts stricken ohne Abnahme.
3., 5., 7., 9., 11., 13. Runde (Abnahmerunden): Sie stricken jeweils die zweit- und drittletzte Masche der 1. und 3. Nadel

überzogen zusammen sowie die 2. und 3. Masche der 2. und 4. Nadel rechts zusammen. Alle übrigen Maschen rechts stricken.
4., 6., 8., 10., 12., 14. Runde: Maschen rechts stricken ohne Abnahme.
Ab der 15. Runde wird in jeder Runde abgenommen, bis sich auf jeder der 4 Nadeln nur noch 2 Maschen befinden. Die Abnahme für die Spitze ist beendet. Schneiden Sie den Faden ab. Stricken Sie die Maschen und ziehen Sie dann den Faden ganz hindurch. Mit der dicken Sticknadel den Faden nach innen ziehen, fest anziehen und vernähen (siehe „Fäden vernähen", unten Seite 43). Wenn Sie jetzt noch den Anfangsfaden vernähen, ist Ihr Söckchen fertig. Stricken Sie das zweite Söckchen genauso.

Dieses Buch widme ich
meinen beiden Enkelkindern
Timur und Louise.

Wir danken der Coats GmbH (Schachenmayr) für die hilfreiche Unterstützung.

Alle in diesem Buch veröffentlichten Abbildungen und Modelle sind urheber-
rechtlich geschützt und dürfen nur mit ausdrücklicher schriftlicher Genehmigung
des Verlages und der Urheber gewerblich genutzt werden.

Bei der Anwendung im Unterricht und in Kursen ist auf dieses Buch hinzuweisen.

Die im Buch veröffentlichten Ratschläge wurden von Verfasserin und Verlag sorg-
fältig erarbeitet und geprüft. Eine Garantie kann dennoch nicht übernommen
werden, ebenso ist eine Haftung der Verfasserin bzw. des Verlages und seiner Be-
auftragten für Personen-, Sach- und Vermögensschäden ausgeschlossen.

Bibliografische Information Der Deutschen Bibliothek
Die Deutsche Bibliothek verzeichnet diese Publikation in der Deutschen
Nationalbibliografie; detaillierte bibliografische Daten sind im Internet über
http://dnb.ddb.de abrufbar.

www.verlagsgruppe-dornier.de
www.urania-verlag.de